Controla tus emociones

RONALD T. POTTER-EFRON

Controla
tus emociones

Guía práctica para aplacar
las explosiones de ira

EDICIONES OBELISCO

Si este libro le ha interesado y desea que lo mantengamos informado
sobre nuestras publicaciones, escríbanos indicándonos qué temas son de su interés
(Astrología, Autoayuda, Ciencias Ocultas, Artes Marciales, Libros Infantiles,
Naturismo, Espiritualidad, Tradición) y gustosamente lo complaceremos.

Puede consultar nuestro catálogo en http://www.edicionesobelisco.com

Colección Salud y Vida Natural
CONTROLA TUS EMOCIONES.
Ronald T. Potter-Efron

1.ª edición: junio de 2008

Título original: *Rage. A Step-by-Step Guide
to Overcoming Explosive Anger*

Traducción: *Joana Delgado*
Fotocomposición: *Text Gràfic*
Corrección: *Victoria Cendagorta*
Diseño de cubierta: *Enrique Iborra*

© 2007, Ronald Potter-Efron
(Reservados todos los derechos)
© 2008, Ediciones Obelisco, S.L.
(Reservados todos los derechos para la presente edición)

Edita: Ediciones Obelisco, S.L.
Pere IV, 78 (edif. Pedro IV) 3.ª planta 5.ª puerta
08005 Barcelona - España Tel. 93 309 85 25 - Fax 93 309 85 23
E-mail: obelisco@edicionesobelisco.com

Paracas, 59 Buenos Aires
C1275AFA República Argentina
Tel. (541 - 14) 305 06 33
Fax: (541 - 14) 304 78 20

ISBN: 978-84-9777-463-5
Depósito legal: B-17.822-2008

Printed in Spain
Impreso en España en los talleres gráficos
de Romanyà/Valls, S.A. de Capellades (Barcelona)

*Dedico este libro a mi mujer, Patricia Potter-Efron,
a quien estoy profundamente agradecido
por su continua ayuda, su apoyo y su estímulo.*

Agradecimientos

En primer lugar, deseo dar las gracias a Brady Kahn, editor de la edición americana, por su serio y esmerado trabajo. Asimismo, agradezco a Matt McKay, a Catharine Sutker y a los numerosos profesionales de New Harbinger Publications su continuo apoyo a mis trabajos sobre la cólera.

A continuación, quiero expresar mi gratitud a diversos residentes del vecino campamento militar por permitirme entrevistarlos y por describirme sus arrebatos de cólera, sus enfurecimientos y sus rabietas. Su franqueza me ayudó a entender mejor el fenómeno de la cólera.

Finalmente, doy las gracias a quienes han leído las primeras versiones de este libro. Sus comentarios me han ayudado a escribir de modo más claro y comprensible. Entre esos lectores, figuran Charles Spielberger, Richard Pfeiffer, Pat Potter-Efron, Dave McQuarrie, Marie McDade, Rich Dowling, Linda Klitzke y Alex Roseborough. Muchas de estas personas están relacionadas con la National Anger Management Association (Asociación para el control de la cólera) de Nueva York o con First Things First Counseling de Eau Claire, Wisconsin, Estados Unidos.

1

¿Qué es la cólera?

¿Es usted colérico?

A veces a algunas personas les ocurre algo extraño y que da miedo. En ocasiones pierden el control de su cuerpo, de su cerebro y de su comportamiento. Dicen y hacen cosas de las que más tarde se arrepienten profundamente. A título ilustrativo, voy a presentarles cuatro ejemplos de personas que sufren arrebatos de cólera.

Lyle: una víctima de maltrato infantil que todavía lucha por su vida

Lyle estuvo a punto de morir cuando tenía tan sólo ocho años de edad. Su padre casi lo mata. Lo único que había hecho fue olvidarse de preparar la leña para la estufa. Cuando su padre llegó a casa y vio que no lo había hecho, le golpeó hasta dejarle inconsciente. Su madre lo llevó al hospital. Mintió, claro está, al relatar lo que había sucedido: dijo a los médicos que Lyle se había caído y se había golpeado en la cabeza. Puede que le creyeran, puede que no. Le curaron. Después de eso, Lyle nunca fue el mismo: se volvió huraño, odiaba a su padre. Finalmente, a los dieciséis años, Lyle fue suficientemente mayor para cambiar las tornas. Una noche se volvió loco, pero no recuerda qué sucedió. Su hermana pequeña le dijo que empezó a gritar a su padre y se abalanzó sobre él, le derribó y empezó a golpearle. Descargó sobre su padre todo lo que llevaba dentro.

Ahí está el problema. Lyle es ahora un hombre de treinta años. Pero no puede controlar sus emociones. Se enfurece mucho, muchísimo. Y después se olvida de todo, como la primera vez, a los dieciséis años. Lyle teme que algún día llegue a matar a alguien. Y podría ocurrir, a menos que reciba pronto ayuda.

Brenda: una mujer ignorada por todos

Brenda siempre ha sido el tipo de persona que queda en un segundo plano. Es apenas perceptible. Agradable, pero nada especial. Callada. Así está ahora, sonriendo a su jefe mientras éste hace caso omiso de todas sus buenas ideas. Y, en una fiesta, a Brenda parece no importarle que su marido coquetee con otra mujer, pero si alguien pudiera leer sus pensamientos descubriría que está echando chispas. Quizás eso no sorprendería si se supiera lo que hizo hace un mes. ¡Madre mía, cuesta creer lo que salió de la boca de esta mujer! No parecía ella. Después, Brenda siempre dice que lo siente, se siente terriblemente mal por lo que dijo, pero también dice que no puede controlarse. Es como si las palabras le viniesen a la boca sin que ella pueda hacer nada por detenerlas. Es como si otra persona estuviera hablando por ella.

Ricardo: Un hombre orgulloso que se siente humillado por cualquier cosa

Ricardo es muy trabajador y un tipo serio. Pero por desgracia tiene una autoestima muy frágil. Quiere creer que es un ganador, pero para sus adentros teme ser un auténtico perdedor en la vida. Esto le hace muy sensible a cualquier crítica. De modo que cuando un día su jefe le dijo que tenía que rehacer un escrito, Ricardo explotó. «¿Quién es usted para decirme lo que tengo que hacer, viejo cerdo asqueroso?», gritó a su jefe. Se puso tan furioso que dos de los hombres de seguridad tuvieron que sacarle del despacho. Ese día perdió el empleo, pero ya había perdido otros antes. «No soporto que me desprecien», dijo sollozando a su mujer aquel día. «Me digo a mí mismo que tengo que calmarme, pero no puedo. No sé lo que me pasa, me vuelvo loco.»

Sharelle: Una mujer que no soporta el abandono

Ésta es la historia de Sharelle: «Mi novio me dijo que necesitaba un poco más de espacio. Me dijo que estábamos demasiado uno encima del otro. Me puse hecha un basilisco. Le tiré un jarrón a la cabeza». Sharelle se queda tan absorta con los hombres de los que se enamora que se pierde. Además se vuelve muy celosa. Vale más que no vea a su pareja mirando a otra mujer, porque se puede armar la marimorena. Pero sobre todo a Sharelle le aterroriza que le abandonen. Quizás ello sea una secuela de la muerte de su madre, acaecida cuando Sharelle tenía tan sólo cinco años. Su padre desapareció de su vida un par de años después. Por ello, cuando su novio se echa atrás tan sólo un poco, Sharelle se hunde. Llora de manera incontrolable. Se echa a temblar. Una vez se puso tan furiosa que apuntó al corazón de su novio con una escopeta. Al menos cree que hizo eso. Su memoria sobre este tipo de actos es muy vaga.

Lyle, Brenda, Ricardo y Sharelle –y quizás también usted, lector– sufren ataques de *cólera*. Estos misteriosos fenómenos pueden calificarse de episodios de cólera extrema acompañados de una pérdida parcial o completa de la conciencia de los propios actos, de la percepción normal del propio yo o del control del comportamiento. Cada una de estas personas se convierte durante un breve espacio de tiempo en un ser completamente distinto. Como me contó uno de mis clientes, el cual saltó del coche para golpear a un hombre que acababa de insultarle: «Fue otro el que salió disparado del coche. En realidad no era yo».

¿Es habitual tener ataques de cólera?

Si uno es colérico puede creer que es la única persona en el planeta que tiene ese problema. En realidad, tiene mucha compañía. El escritor y psiquiatra John Ratey (Ratey y Johnson, 1998), que pasó revista a la literatura sobre la cólera, dice que «una de cada cinco personas normales y corrientes experimenta ataques de cólera que no puede controlar». Ello no significa que el 20 por 100 de la población se vuelva loca normalmente, sino que mucha gente se pone tan furiosa de vez en cuando que hace y dice cosas de las que luego se arrepiente. Además, esas personas dicen a menudo que no les gusta perder el control de esa manera pero que, cuando eso sucede, de veras no pueden contenerse.

Ejerzo de psicoterapeuta clínico en Eau Claire, Wisconsin, Estados Unidos. Eau Claire es una ciudad bastante aletargada de tan sólo 60.000 habitantes. Es de vida muy familiar, religiosa y tranquila. En Eau Claire no hay pandilleros de verdad, tan sólo unos cuantos aspirantes. Dicho de otro modo, cabría suponer que en mi humilde localidad hubiera muy pocos coléricos. Pues sería un craso error. Mis archivos están llenos de historiales de personas que sufren repentinos ataques de ira o estallidos de cólera retenida, personas que explotan instantáneamente o se llenan de resentimiento. La cólera de abandono es muy común, pues Eau Claire sufre el mismo problema de rupturas de relaciones que el resto de Estados Unidos. Los parados se suman a la cólera de impotencia que sufren muchos trabajadores. Hay mucha gente en mi ciudad que siente una gran vergüenza y a veces reacciona con furia extrema frente al insulto más insignificante. Y, por desgracia, Eau Claire tiene cubierta su cuota de hombres y mujeres que han sobrevivido a grandes traumas y han adoptado una postura atemorizada y defensiva ante la vida.

Las estadísticas de Ratey me convencen. Estoy de acuerdo en que el 20 por 100 de la población monta en cólera al menos ocasionalmente. Ello hace que la cólera sea un problema relevante en la sociedad estadounidense (y seguramente también en otros muchos países).

Estudiar la cólera más de cerca

Vamos a analizar la definición de la cólera separando los elementos que la componen:

Una experiencia de cólera excesiva

¡Demasiada rabia! Ésa es una parte importante de la experiencia de un ataque de cólera. Pero ¿qué significa esto? ¿Cuánto es «demasiado»? He aquí una explicación. Imaginemos que cada ser humano vivo lleva encima un recipiente emocional. La función de ese recipiente es albergar nuestras emociones más fuertes, en este caso, la cólera. Pero el recipiente es más parecido a un globo que a una caja. Cuando uno no está enfadado, el globo se desinfla. Cuando uno está furioso, se infla. Se expande lo suficiente para que pueda estar enfadado, o incluso enfurecido, sin dejar de ser uno mismo. Hay personas afortunadas que parecen tener globos que se expanden con facilidad, pueden enojarse sin ninguna dificultad, pues es como si su globo emocional pudiera expandirse sin limitación. Pero la mayoría de las personas no pueden: llegan a enfadarse hasta un punto en que el globo empieza a estirarse y a volverse terriblemente fino.

Además, ningún globo puede expandirse hasta el infinito. En algún punto alcanza su límite. El globo emocional está lleno. Pero ¿qué pasa si uno se encoleriza todavía más? ¿Cuánta emoción adicional puede meter en el globo? En algún momento, más pronto o más tarde, el globo amenaza con explotar.

Veamos otra analogía. Imaginemos que hace días que llueve sin parar. El agua fluye a los arroyos y los ríos y amenaza con inundar las tierras. Tan sólo un dique se lo impide. Pero, ¿puede ese dique frenar la inundación? La respuesta, si consideramos que toda esa agua es la cólera, suele ser que sí. Quizás haya que abrir los canales de desagüe durante un tiempo (puede que tomándose un respiro, siendo debidamente asertivo o usando otros mecanismos de control de la cólera), pero el dique se ha construido para soportar mucha presión. Sería necesaria una inundación de esas que ocurren una vez al siglo para que el dique reventara.

El momento en el que nuestro globo emocional explota o cuando el dique revienta es lo que yo llamo *cólera excesiva*. Se trata de una sobrecarga emocional que desencadena todo tipo de cambios, y ninguno bueno. A continuación, hablaremos de los tres cambios problemáticos más significativos.

Pérdida parcial o completa de la conciencia de los propios actos

Lyle dice que no recuerda lo que dice o lo que hace cuando tiene un ataque de cólera. Eso es bastante común, si bien muchos coléricos recuerdan parte de lo que dijeron o hicieron, en general hasta llegar a cierto punto (cuando su globo emocional explota) y puede que algo de lo que sucede después de eso. Esos recuerdos suelen ser más emocionales que intelectuales, más vagos que precisos.

Lyle tiene una *amnesia colérica*. Su globo ha explotado y de entrada esto afecta a las partes más desarrolladas del cerebro, incluida la parte responsable de la memoria consciente activa.

Pérdida parcial o completa de la percepción normal del propio yo

Brenda se siente como si alguien se hubiera apropiado de su cuerpo. Esto también es un hecho muy común en los ataques de cólera. Aunque se esté consciente, uno no se siente en absoluto normal. Se trata de una experiencia de doble personalidad, como el Doctor Jekyll y Mister Hyde, en la que una persona miserable e iracunda parece apoderarse de nuestro cuerpo. A veces esta usurpación es parcial y breve. A veces es completa y duradera.

Pérdida parcial o completa del control del comportamiento

La parte más temible de un episodio de cólera, al menos para los que lo presencian, es cuando los coléricos parecen haber perdido el control de sus actos. En el peor de los casos, estas personas pueden llegar a matar. También pueden destruir bienes valiosos, tanto los suyos como los de otros. Además dicen cosas terribles, cosas que nunca dirían en otras circunstancias. También en este caso, por fortuna, esta pérdida de control puede ser parcial y pasajera. Algunas personas coléricas me han contado que en esos momentos sienten una batalla interna entre un yo destructivo, violento y furioso y un yo más sensato y pacífico.

La cólera es una experiencia que transforma

Veamos qué significa todo esto. La cólera tiene lugar cuando uno se enfada tanto con el mundo (o consigo mismo) que ya no puede contenerla por los medios usuales. Hablar no ayuda. Discutir es inútil. Hacer ejercicio no sirve. Es demasiado tarde para tomarse un respiro. El globo emocional, el que utilizamos para guardar la cólera, explota. El dique revienta. Entonces uno empieza a ser alguien visiblemente diferente, aunque sólo durante unos segundos y sólo para sus adentros. Se produce una transformación.

Técnicamente, a esta experiencia se le llama *episodio disociativo*. Pero deseo especialmente evitar ese término porque ha llegado a asociarse demasiado con las personas que sufren escisiones permanentes de su yo interior, las llamadas personalidades múltiples. No quiero decir con

Anthony Quinn Library
3965 Cesar Chavez Ave.
Los Angeles, CA 90063
Phone: (323) 264-7715

--- Items Renewed Today

Title: Controla tus
emociones : guía práctica
para aplac
Item ID: 0111993832653
Date charged: 4/10/2017,
13:05
Date due: 5/22/2017,23:59

Title: Cuéntame tus males
y te diré cómo sanarlos :
[cóm
Item ID: 0112413118129
Date charged: 4/10/2017,
13:05
Date due: 5/22/2017,23:59

Renew your items online.
Log in to: www.
colapublib.org

ello que no existan personas de este tipo, sino tan sólo que la experiencia de la cólera es más temporal. Es una medida de emergencia que el cerebro utiliza cuando se siente abrumado por la cólera. Es cierto que el globo explota, pero una vez superada la emergencia, casi siempre en cuestión de minutos, o unas horas, se puede recuperar la personalidad habitual. «Se acabó. Ya no me siento furioso. Ahora puedo volver», es la típica cantinela del colérico.

El término *disociación* lo utilizo cuando alguien sufre lo que a menudo se llama *cólera ciega*. La cólera ciega sucede cuando se experimenta una pérdida de conciencia extraordinariamente prolongada, durante la que se dicen o se hacen cosas sumamente violentas. En una situación así puede parecer que el individuo está totalmente consciente (tal vez va y viene de un lado para otro, grita o profiere amenazas), pero en realidad no es él mismo. Más tarde cuenta que no recuerda casi nada o nada de lo que ha ocurrido. Es como si se tuviera un fusible en el cerebro que interrumpe la conexión entre lo que hace y lo que tiene conciencia de hacer. Nadie sabe exactamente por qué sucede esto. Lo que se supone es que en los momentos de gran tensión y miedo, el cerebro adopta una actitud de supervivencia. Su única tarea entonces es mantener al individuo con vida, si es necesario destruyendo todo lo que haya en su camino. El cerebro básicamente decide: «No hay tiempo para pensar. Actúa. Lucha. Mata si es necesario».

La cólera ciega es la modalidad más potente de experiencia transformadora que puede tener un colérico. Son experiencias totalmente disociativas, similares, aunque no iguales, a las de los ataques epilépticos. Los ataques de cólera ciega están relacionados con las emociones reprimidas de individuos muy traumatizados que han sufrido hechos terribles en sus vidas, como experiencias cercanas a la muerte o agresiones sexuales.

Hay que hacer otra distinción. Un ataque de cólera ciega es diferente de la amnesia inducida por el alcohol o una droga. Las pérdidas de memoria ocasionadas por el alcohol no son sucesos emocionales, no vienen ocasionados por ninguna carga emocional. Sin embargo, el consumo de alcohol o de otras sustancias que alteran la conducta hace que algunas personas sean más propensas a sufrir amnesias de tipo colérico. Por ello las personas que tienen problemas con la cólera deben evitar tales sustancias.

Otras características importantes de la cólera

Los ataques de cólera siempre implican una experiencia de furia excesiva y una experiencia transformadora marcada por la pérdida de la conciencia normal, un cambio de percepción del propio yo y una pérdida de control del comportamiento. Pero también se suele hablar de los siguientes aspectos de la cólera:

- Los ataques de cólera total son mucho más intensos que un fuerte estallido de ira.
- Los ataques de cólera pueden producirse repentinamente y sin previo aviso.
- Los ataques de cólera pueden producirse más lentamente y de modo menos espontáneo.
- Hay cuatro tipos de situaciones extremas que pueden ocasionar la cólera.
- Un sentido distorsionado del peligro conduce a acciones desmedidas.

En la siguiente parte de este capítulo, abordaremos esos diferentes aspectos.

La cólera total

La cólera total es un suceso intensísimo, más fuerte aún que los tipos más graves de cólera normal. Cuando se sufre un ataque de cólera total, la palabra «enfado» minimiza completamente esa experiencia. Decir que los coléricos se enfadan es como decir que un tornado es una tormenta fuerte. No, no es estar enfadado. Es estar totalmente colérico contra cualquier cosa que moleste. La cólera absoluta es el ciclón de la ira, el huracán de fuerza cinco de la venganza. Un ataque de cólera de este tipo es un suceso mental y físico que transforma a la persona y la convierte en un instrumento de destrucción potencialmente letal. El cuerpo entero puede llegar a consumirse en un arrebato de cólera. El corazón está a punto de estallar. Las manos devienen puños que aporrean mesas hasta que quedan ensangrentadas. La voz sube una octava. Las piernas flaquean. Hay quien se pone «hecho un basilisco» porque el corazón le bombea la sangre muy rápidamente y se le dilatan los capilares de los ojos.

Uno puede entender esta idea. Se puede hablar con alguien que está enfadado o que incluso está furioso y se le puede calmar. Al menos se puede razonar un poco. Pero siempre se sabe o se siente que no sirve de nada hablar con alguien que tiene un ataque de cólera total.

Cuando uno está rabioso, está en un mundo aparte. No importa lo que digan los demás, no se les escucha o se distorsiona totalmente el mensaje. Cuando le dicen «por favor, cálmate», entiende «estás intentando controlarme otra vez, ¿verdad?» Cuando le dicen «te quiero», oye «te odio».

Pero después, varios minutos o varias horas más tarde, o al día siguiente, la persona se siente terriblemente culpable y arrepentida. «No sé lo que me sucedió», dirá. «Lo siento. No deseaba asustarte. No quería herirte. Te prometo que no lo volveré a hacer. Por favor, perdóname.»

Obsérvese que no todos los ataques de cólera son totales. Se pueden experimentar ataques de cólera menores y menos terribles. El tema de los ataques parciales y las rabietas se trata más adelante; antes quiero hablar de seis clases diferentes de cólera.

La cólera repentina

Doctor Jekyll y Mister Hyde. Una transformación súbita. Un cambio rápido: de la normalidad al terror. Peligro. Ésa es la cólera clásica. Si se actúa de ese modo, se tiene lo que se dice *cólera repentina,* que se define como la aparición súbita, no planeada e imprevista de una experiencia transformadora de cólera durante la cual se pierde parcial o totalmente el control sobre los propios sentimientos, pensamientos y actos.

Los ataques de cólera repentina no se planean. Sin embargo, esto no significa que lleguen cuando menos se espera. Se perciben ciertos signos, como sentimientos extraños que nacen en el interior. Uno puede sentir que está a punto de sufrir un colapso. Estos avisos son útiles, pues de este modo puede mantenerse alejado de los demás, tomar la medicación adecuada, hacer ejercicio, relajarse o hablar con alguien que pueda ayudarle a protegerse de la cólera. Pero generalmente no hay signos concretos o advertencias. Sin embargo, algo sucede que puede resultar insignificante para los observadores, pero manifiestamente intolerable para quien lo sufre. Entonces es cuando se pierde el control. Se empieza a chillar, a amenazar, a intimidar, a atacar. Se pasa de la cólera normal a un ataque feroz, como el conductor tranquilo que de pronto acelera a más de 150 kilómetros por hora. Uno no se calma con palabras suaves, porque no es capaz de escuchar a nadie. Y no se detiene hasta que no consume toda la energía de que dispone.

Los ataques de cólera repentina se tratan en el capítulo 5 de este libro.

La cólera retenida

Los ataques de cólera no siempre son la reacción a una situación inmediata. A veces se forman lentamente en respuesta a lo que uno percibe como una situación injusta. Es una cólera similar a un fuego interno, un fuego que va ardiendo lentamente, durante años, sin que se sea totalmente consciente de ello, hasta que finalmente sale a la superficie. El resultado es la cólera retenida, que puede definirse como la lenta acumulación de furia hacia alguien concreto o hacia un grupo de personas, que implica además un sentimiento de haber sido victimizado, pensamientos obsesivos sobre la situación, indignación moral y odio hacia los culpables, alteraciones de la personalidad, deseos de venganza y (a veces) ataques planeados y deliberados contra personas concretas. Quienes sufren este tipo de ataques casi siempre tienen que enfrentarse a un sentimiento profundo de que los culpables a quienes han atacado son moralmente perversos, monstruosos y malvados. Los ataques de cólera retenida se describen más detalladamente en el capítulo 4.

Cólera de supervivencia, de impotencia, de vergüenza y de abandono

Las personas no sufren un ataque de cólera sólo por sentirse enfurecidas (aunque hay quien simula un ataque de cólera para conseguir lo que quiere). Los ataques de cólera son demasiado enojosos, agotadores y peligrosos como para jugar con ellos. Por el contrario, la cólera suele desencadenarla una experiencia negativa que se considera peligrosa para algún aspecto importante del propio ser.

¿Qué tipo de peligros puede desencadenar un ataque de cólera? La amenaza más inmediata, por supuesto, es la que afecta a la propia integridad física; por lo tanto, hay un tipo de cólera que está destinada a ayudarnos a sobrevivir en situaciones de peligro físico. El mejor calificativo de este fenómeno es el de *cólera de supervivencia*. Pero hay al menos otros tres tipos de amenazas que pueden desencadenar ataques de cólera.

Quizás uno no pueda soportar situaciones en las que siente que no controla su propia vida, o puede que se sienta impotente frente a sucesos importantes (si va a formar parte de la próxima reducción de plantilla, por ejemplo). *La cólera de impotencia* es el nombre que se da a los tipos de cólera asociados a la furia inducida por la indefensión. Es la cólera del hombre que levanta el puño al cielo y reclama a Dios que explique por qué su hijo acaba de morir.

Un tercer tipo de situación amenazadora es aquella en la que la persona se siente avergonzada, criticada o humillada. Es cierto que a nadie le gusta pasar por esas experiencias, y es lógico. Pero se puede reaccionar de un modo increíblemente intenso al percibir esas sensaciones, independientemente de si nos han intentado insultar o no. En este caso, se puede experimentar una *cólera de vergüenza* en la que uno se enfrenta verbalmente y a veces físicamente a la gente que cree que le está avergonzando.

Finalmente, otro tipo de amenaza potencial es la que se produce cuando no se pueden afrontar los sentimientos de soledad, ansiedad e inseguridad. Cuando, por ejemplo, se desea fervientemente que la pareja vuelva aun cuando ésta haya manifestado que está enamorado o enamorada de otra persona. La persona llama al otro para hablar de ello, sólo para escucharse a sí mismo gritar que el otro es un estúpido al que odia y al que nunca quiere volver a ver. En ese momento, se está pasando por una *cólera de abandono*.

Cólera de supervivencia. Cólera de impotencia. Cólera de vergüenza. Cólera de abandono. Estos cuatro tipos de cólera se solapan porque cada uno de ellos implica una lucha por algo que se siente absolutamente necesario. Primero es la seguridad física. Después, la necesidad de sentir que se puede hacer que ocurran cosas en momentos críticos. Después, viene la necesidad de ser respetado por la comunidad como miembro de buena reputación. Y finalmente está la necesidad crucial de relacionarse con personas que nos aman y nos cuidan. Si bien estas cuatro necesidades son diferentes, responden a un deseo común: la supervivencia en un mundo en que abundan las amenazas.

Hemos mencionado seis tipos diferentes de cólera. Dos tipos de cólera dependen de lo rápido que se desenvuelvan: repentina y retenida. Y cuatro tipos de cólera que son reacciones a temores concretos: la cólera de supervivencia, la cólera de impotencia, la cólera de vergüenza y la cólera de abandono. Estos seis tipos de cólera se describirán más en detalle y se formularán una serie de consejos para minimizar su fuerza, en capítulos separados al final del libro.

La cólera y el sentido distorsionado del peligro

En la gran caja de herramientas de la vida, cada instrumento es útil. Esto es cierto incluso para la cólera, en según qué circunstancias. En un momento dado, la cólera puede ayudar en una situación de vida o muerte. Si un enemigo nos amenaza con un cuchillo, por ejemplo, no es el mejor momento para pensar: «Hummm, a ver, voy a examinar qué opciones tengo. Podría echar a correr, podría...». ¿No es mucho mejor estar dispuesto a hacer algo en ese preciso instante, lo que sea, para salir del peligro? ¿Dejar de lado por unos minutos la reflexión y empezar a luchar por la propia vida?

Pero afortunadamente nos enfrentamos muy pocas veces a situaciones de peligro, aunque se enrabie con facilidad. Pero hay algo que no encaja. Si uno siente cólera, incluso cuando no existe una amenaza real e inmediata —y los ataques de furia sólo suceden a quienes se sienten profundamente amenazados—, ¿qué es lo que ocurre? La respuesta, por supuesto, es que hay quien se siente regularmente amenazado aunque no exista ningún peligro real. Se trata de un sentido distorsionado del peligro. Hay quien se siente constantemente atacado. El mundo, para esa persona, no es un lugar seguro. Al contrario, vive en un entorno lleno de adversarios hostiles, peligrosos y amenazadores.

¿Cómo se ha llegado a la conclusión de que se está en constante peligro? Puede que, en un momento dado de la vida, se haya experimentado una auténtica amenaza o un ataque. O puede que no haya vivido este tipo de experiencias, pero ha tenido unos padres que le han hecho creer que el mundo está lleno de gente mala. Puede haber sufrido un sutil daño cerebral e interpretar erróneamente las intenciones de los demás.

Ese sentido de peligro inmediato puede aparecer en la mente durante un episodio de cólera. En esos momentos no sirve de nada aconsejar «relájate y no te preocupes». Uno no puede relajarse. Seguramente lo haría si pudiera, pero no puede. Por entonces, la cólera ya se alimenta por sí sola. Cualquier cosa que le digan aún le enfurecerá más (sobre todo cosas del tipo «cálmate y contrólate»). Podría decirse que llegados a ese punto, uno se convierte en cólera y la cólera se convierte en uno. En ese momento, los pensamientos ya están terriblemente distorsionados. Lo único que se ve alrededor son enemigos dispuestos a atacar. Y debemos defendernos. Justo en ese momento de cólera, creemos que debemos luchar por la vida en un mundo totalmente hostil. El cerebro tan sólo tiene una tarea: encontrar el peligro para eliminarlo.

Eso lleva a la acción. Cuando se está colérico no se piensa en el lema «todo con moderación». Lo más probable es que el lema en esos instantes sea «todo en exceso». Así que se emprenden acciones repentinas e impulsivas. Se ataca verbalmente de una manera terrible. Uno puede llegar a ponerse extremadamente violento. Y, conforme a la idea de la transformación, se hacen y dicen cosas que nunca se harían si no estuviera encolerizado. Más tarde, uno desearía negar haber hecho tales cosas. Pero realmente las ha hecho, y ahora debe responsabilizarse de sus actos.

Ataques parciales e incipientes

Por fortuna, no todos los ataques de cólera son auténticos arrebatos. Por lo general, las personas sólo pierden parcialmente el control de sí mismas cuando tienen un ataque de cólera. Por ejemplo, un antiguo paciente llamado Herm me dijo que se había peleado con otro hombre, en un ataque de cólera, y le tiró al suelo. Pero Herm se detuvo «justo en el momento en que iba a golpearle en la cabeza». Muchas otras veces, las personas se encolerizan verbalmente, sin llegar a las manos. Llegan a controlarse, aunque piensan «me habría gustado estrangularle hasta que se le salieran los ojos de las órbitas». Este tipo de episodios se denominan *ataque parcial de cólera*, pues mientras sucede el ataque se mantiene cierto control sobre los actos. En un ataque parcial se puede atacar verbal y no físicamente, evitar a una persona para atacar a otra, dirigir la agresión hacia un objeto y no hacia una persona, o detenerse incluso antes de comenzar a atacar. En la transformación que ocurre, cuando se está teniendo un ataque parcial de cólera, uno puede sentirse dividido entre el yo normal y el yo colérico. Finalmente, el yo normal toma el control de la situación, se calma, y se siente quizás muy enfadado, pero ya no colérico.

Puede que recordemos una vez en que frenamos antes de empezar a tener un ataque de cólera. En ese momento se tiene un *ataque incipiente de cólera*, una experiencia en la que se está a punto de caer en la cólera pero se frena en seco. Allie, un ama de casa de mediana edad, por ejemplo, se vio envuelta en un ataque de cólera cuando una noche su novio llegó a casa borracho: «Estaba tirado en el suelo y yo le ordené que levantara el culo y fuera arriba, a la cama. Ni siquiera podía oírme. Quise darle patadas, golpearle. Sentía que le perdía. Pero entonces me detuve. No sé cómo, pero me detuve. Le dejé allí tirado y me fui a la cama».

Los ataques incipientes y los ataques parciales de cólera representan el terreno movedizo que se halla entre un fuerte enfado y un ataque de cólera total. Indican que al menos en un momento dado se tiene cierto control sobre la cólera. Eso es bueno. Significa que se puede sacar provecho de los instrumentos normales de control de la cólera, como tomarse un respiro y sustituir los pensamientos violentos por pensamientos relajados. Tales instrumentos ayudan a reforzar el control sobre la tendencia colérica y proporcionan unas vías más adecuadas para manejar las situaciones difíciles.

El alto coste de la cólera

He aquí el relato de un hombre: «Me perdí totalmente. Sufrí un colapso. Primero empecé a gritar a mi mujer que cerrara la boca. Después golpeé encima de la mesa en la que estaban sus cosas. Luego le di bofetadas. Ahí fue cuando mi hijo llamó a la policía. Ahora tengo una orden de alejamiento. No puedo ni siquiera hablar con mi esposa. Espero que me vuelva a aceptar, pero, vete tú a saber... ¡Dios mío! ¿Por qué hice algo tan estúpido?».

La cólera, sobre todo la repentina, siempre trae consigo consecuencias nefastas. En realidad, la cólera es un lujo que pocos se pueden permitir. A continuación, veremos unos cuantos ejemplos del coste que acarrea perder el control sobre la cólera. ¿Le suenan de algo?

— **Pérdida de la libertad.** Cárcel, orden de alejamiento, orden judicial de seguir un tratamiento o un programa contra el maltrato doméstico. Son las consecuencias más comunes que sufren los coléricos.

— **Daños físicos a otras personas.** Causar daño a otros seres, incluso a aquellos que uno ama y desea proteger. Más tarde se sentirá espantosamente culpable, pero el daño ya está hecho.

— **Ruptura de relaciones.** Lazos matrimoniales, de amistad, familiares. ¿A quién le gustaría que todos le consideraran un elemento peligroso?

— **Incumplimiento de promesas hechas a uno mismo.** Se ha jurado a sí mismo que nunca volvería a hacer daño a nadie de esa manera, pero ha tenido otra trifulca.

- **Despido, suspenso, expulsión.** Quienes se encolerizan en el trabajo o en la escuela por lo general acaban teniendo mucho tiempo sin nada que hacer.

- **Problemas económicos.** Hay que reemplazar los objetos que se han roto. Le caen multas por los problemas ocasionados durante el ataque de cólera. Deja de tener ingresos.

- **Miedo y desconfianza de los demás.** Los coléricos tienen que enfrentarse al miedo que generan en los demás, aparte de la pérdida de confianza. Es duro darse cuenta de que apenas se tiene credibilidad entre la gente que le importa debido a esos ataques. No hace ninguna gracia ver que los propios hijos le tienen tanto miedo que se esconden en su habitación cuando llega a casa.

- **Obsesiones, paranoias y asilamiento.** Con el tiempo, los que van acumulando su rabia recelan cada vez más de los otros. Llegan a pensar obsesivamente en las propias heridas y en las personas que le han hecho daño. Pueden llegar a estar cada vez más paranoicos pensando que tiene a todo el mundo en contra. Pierde el contacto con los demás, con lo cual tiene más tiempo para obsesionarse.

- **Odio a sí mismo.** Es difícil sentirse bien con uno mismo cuando se ha perdido el control sobre las propias emociones y se ha hecho daño a personas que ama. No es de extrañar que los coléricos se autolesionen dirigiendo la cólera contra ellos mismos, puede que hiriéndose en la cara o dándose de porrazos contra la pared. Tras un ataque de cólera, puede que se llegue a pensar en el suicidio por no saber enfrentarse a la vergüenza y al sentimiento de culpa.

Cuando se es una persona colérica, la vida puede resultar difícil, dolorosa, dura y solitaria. Los episodios periódicos de pérdida de control desgarran totalmente el tejido de la vida y generan caos en lo más profundo del ser. Nadie, ni siquiera uno mismo, sabe a qué atenerse. ¿Quién sabe cuándo va a desintegrarse de nuevo en un ataque de cólera? ¿Qué ocurrirá entonces? ¿Qué objetos romperá? ¿Quién saldrá dañado? ¿Qué amigos o qué amor huirá y quizás no vuelva nunca?

Esto no puede continuar. Las recompensas son demasiado escasas y los costes demasiado elevados. Algo tiene que cambiar y tiene que hacerlo rápidamente. Por fortuna, hay métodos que se pueden utilizar para dejar de tener ataques de cólera. Si se desea empezar a trabajar para acabar con los pensamientos, los sentimientos y los actos coléricos, este libro puede servir de ayuda.

Ha llegado el momento de la verdad. ¿Forma usted parte del 20 por 100 de la población que tiene problemas con la cólera?

El siguiente paso

Quizás el lector lea este libro tan sólo por interés general. Puede que conozca a un colérico o que conviva con él. O quizás se esté preguntando si es una persona colérica. Sea como fuere, le conviene responder al siguiente cuestionario. Las respuestas le ayudarán a decidir si tiene un problema con la cólera, y, si es así, qué tipo de cólera sufre.

Cuestionario sobre la cólera

Instrucciones: Responda a cada una de las frases que figuran más abajo con el comentario que mejor refleje su situación.

S «Sí, eso me sucede de vez en cuando.»

N «No, estoy seguro de que no hago eso ni pienso así.»

Q «Quizás. No estoy seguro de si la frase se ajusta a lo que yo hago o pienso.»

✿ «Sí y mucho. Es grave, peligroso, terrible.»

Indicadores de cólera repentina

1. La cólera me viene de pronto y muy fuerte. ____

2. Me enrabio tanto que pierdo el control de lo que digo o lo que hago. ____

3. Dicen que cuando me pongo furioso actúo de forma extraña, que doy miedo o me vuelvo loco. ____

4. No recuerdo las cosas que he dicho o he hecho cuando me he puesto muy furioso, sin haber tomado alcohol ni drogas. _____

5. Me enfurezco tanto que me preocupa seriamente que pueda herir o matar a alguien. _____

6. En esos momentos me siento una persona diferente, como si no fuera yo. _____

7. Cuando creo que alguien me ha insultado o amenazado, me pongo de inmediato muy furioso. _____

Número de respuestas S o ❋ a las frases 1 a 7: _____

Indicadores de cólera retenida

8. No puedo dejar de pensar en insultos o daños sufridos en el pasado. _____

9. La cólera que siento por algún insulto recibido en el pasado tiende a aumentar en vez de aplacarse con el tiempo. _____

10. A veces me invaden intensas fantasías de venganza contra las personas que me han hecho daño. _____

11. Odio a algunas personas por las cosas que me han hecho. _____

12. Muchos se sorprenderían si supieran cuánto me enfurezco aunque no lo demuestre. _____

13. Me indigna que la gente quiera salirse con la suya. _____

14. Me resulta difícil perdonar a otros. _____

15. Siento rabia pero no digo nada a nadie. _____

16. Ataco (física o verbalmente) de forma deliberada a ciertas personas para hacerles pagar lo que me han hecho alguna vez. _____

Número de respuestas S ó ❋ a las frases 8 a 16: _____

Indicadores de cólera de supervivencia

17. Me he enzarzado en una pelea con alguien y han tenido que intervenir varias personas para separarme del otro. _____

18. Cuando me pongo muy furioso amenazo con dañar o incluso matar a alguien. _____

19. Me sobresalto fácilmente cuando, por ejemplo, alguien me toca en un hombro por detrás. _____

20. Cuando monto en cólera, siento como si me fuera en ello la vida. _____

21. Me da un ataque de cólera ciega cuando tengo que defenderme de un peligro real o imaginario. _____

22. Me dicen que soy un paranoico o que creo sin razón que intentan hacerme daño. _____

23. Tengo una reacción de enfrentamiento o huida, y entonces me siento muy enfadado y tengo miedo de verdad. _____

Número de respuestas S o ✿ a las frases 17 a 23: _____

Indicadores de cólera de impotencia

24. Cuando me parece que alguien no me escucha o no me entiende me siento a punto de explotar. _____

25. Monto en cólera después de tener pensamientos como «ya no aguanto más». _____

26. Me siento a la vez indefenso y furioso ante situaciones que no puedo controlar. _____

27. Cuando las cosas no salen como me gustaría, doy patadas, rompo cosas o me pongo a chillar. _____

28. Me enrabio tanto que tengo que hacer algo, lo que sea, aunque ello empeore las cosas. _____

29. Me invaden pensamientos violentos o vengativos contra las personas que tienen (o ha tenido alguna vez) poder sobre mí. _____

Número de respuestas S ó ✿ a las frases 24 a 29: _____

Indicadores de cólera de vergüenza

30. Me pongo furioso cuanto me parece que alguien me falta al respeto. _____

31. Defiendo celosamente mi reputación y mi buen nombre. _____

32. Me preocupa a menudo que piensen que soy tonto, feo o incompetente. _____

33. Me vuelvo realmente loco después de haber pasado momentos de vergüenza, por ejemplo cuando alguien señala algo que he hecho mal. _____

34. Dicen que me tomo demasiado a pecho las críticas. _____

35. No paro de pensar en desaires que creo que me han hecho. _____

36. Me entra la rabia cuando los demás parecen ignorarme. _____

Número de respuestas S o ✿ a las frases 30 a 36: _____

Indicadores de cólera de abandono

37. Monto en cólera cuando pienso en épocas en que fui abandonado o traicionado. _____

38. Lucho con intensos sentimientos de celos. _____

39. Busco indicios que me demuestren que las personas que dicen preocuparse por mí no merecen confianza. _____

40. Sentirme despreciado o ignorado por las personas a las que quiero me parece casi intolerable. _____

41. Siento un constante deseo de volver a estar con mis padres o mi pareja porque me han abandonado, despreciado o traicionado. _____

42. Me siento engañado por mi pareja, mis hijos o mis amigos porque les doy mucho más amor, cariño y atención que ellos a mí. _____

43. Me han dicho que una vez me volví realmente loco y no puedo creer a las personas con las que estoy furioso cuando me dicen que están preocupadas por mí. _____

Número de respuestas S o ✿ a las frases 37 a 43: _____

Interpretación. No hay ninguna puntuación mínima en este cuestionario que indique que uno tiene un problema con la cólera. Más bien, cada respuesta «S» o «*» significa que podría tener tal problema. Cuantas más respuestas «S» o «*», tanto más probable es que dicho problema sea grave. Cuantas más respuestas «S» o «*» en un mismo apartado, tanto más probable es que uno tenga un problema con ese tipo de cólera.

Una vez cumplimentado el cuestionario, escriba en el espacio que queda en esta página su respuesta a estas dos preguntas: ¿Cree usted que es un colérico? ¿Por qué?

¿Qué hacer con respecto a los ataques de cólera?

Los ataques de cólera son un problema grave. Si las respuestas del cuestionario indican que se tiene un problema con la cólera, hay que hacer algo rápidamente al respecto. Para empezar, se puede seguir leyendo el libro, prestando especial atención a los capítulos que tratan del tipo de cólera que sufra. Pero antes quizás convenga reflexionar sobre qué es lo que hace que una persona se convierta en colérica. Ése es el tema del siguiente capítulo.

2

¿Cuáles son las causas de la cólera?

Las raíces de la cólera

Si se tienen problemas con la cólera, hay que preguntarse: ¿Por qué soy así? ¿Qué me diferencia de quienes nunca se encolerizan? ¿He nacido así? ¿Me enfurezco por cosas que me han sucedido en mi infancia? Éstas son preguntas muy importantes, pues si uno conoce la respuesta, será más capaz de decir adiós a los ataques de cólera. Sin embargo, el tema es complicado, pues no hay una causa única que origine la cólera. Por el contrario, hay muchos posibles factores que contribuyen a ella. Algunas de las causas más relevantes se verán en este capítulo; entre ellas figuran daños cerebrales, traumas emocionales, consumo de drogas, modelos parentales, compensaciones que reporta la cólera y las experiencias extremas de vergüenza y abandono.

Pero primero quiero aportar algunas informaciones de interés para el control de la cólera, describiendo el desarrollo normal de la infancia y la adolescencia.

Rabieta y cólera

A cualquier padre o madre esto le parecerá totalmente obvio: los niños y los adolescentes suelen tener mayor dificultad para controlar la cólera. ¿Por qué? Principalmente porque la parte del cerebro que nos ayuda a controlar los impulsos se desarrolla lentamente, desde que nacemos hasta los veinticinco años. En particular, los lóbulos prefrontales, próximos a la frente, ayudan a frenar los impulsos hostiles, a contemplar alternativas a las explosiones de ira y a pensar moralmente en los sentimientos y derechos de los demás. Por ello, la mayoría de los niños no pueden evitar las rabietas ocasionales, como es típico de los adolescentes resoplar y enfurruñarse mientras se encierran en su habitación gritando lo idiotas o imbé-ciles que son sus padres porque no les entienden o no son justos con ellos.

Sin embargo, no todos los niños ni todos los adolescentes tienen ataques de cólera. Un ataque de cólera no es lo mismo que una rabieta. Un niño que tiene una rabieta persigue un objetivo. Un niño que tiene un ataque de cólera está abocado a la destrucción.

Sin embargo, la mayoría de chicos y chicas, a medida que maduran, perfeccionan cada vez más su capacidad de control de la cólera. No obstante, a algunos les cuesta más que a otros: se trata al parecer de niños que han sido más propensos a la cólera desde que nacieron. Se disgustan e inquietan muy fácilmente cuando se excitan.

Jimmy es un ejemplo de los niños que siempre tienen problemas a la hora de controlar la cólera intensa. A los diez años, Jimmy empezó una terapia. Cuando estaba a punto de finalizar una sesión, preguntó a su padre si al volver a casa podían pararse a comprar una hamburguesa. Su padre le dijo que no era posible porque tenía que llegar a casa con tiempo para una reunión. De inmediato Jimmy sufrió un ataque de cólera. Empezó a revolverse, a gritar y amenazar con matar a su padre y matarse él mismo, diciendo cosas sin sentido alguno y siendo totalmente incapaz de detenerse. En ese mismo momento, aunque su padre le hubiera ofrecido una docena de hamburguesas, Jimmy no habría reaccionado. Estaba en otro mundo. Lo único que cabía hacer era vigilar a Jimmy (y a quienes estaban a su alrededor) y dejar que el ataque de cólera siguiera su curso durante unos veinticinco minutos. Después, Jimmy no recordaba lo que había sucedido.

Otro ejemplo, éste de un ataque de cólera en un adolescente, es el de Jeff, un chico de catorce años que sólo tenía ataques de cólera en casa, tal vez porque allí podía «relajarse» y dejar de esforzarse por causar una buena impresión a sus compañeros. Los ataques de Jeff empezaban siempre que se sentía invadido por una mezcla de ansiedad y depresión. Esa sensación le duraba de quince minutos a una hora, después explotaba inevitablemente rompiendo sus cosas y las de su familia. Si sus padres intentaban detenerle, las cosas iban a peor. Finalmente, el ataque de cólera cesaba y entonces necesitaba dormir unas cuantas horas.

Podemos encontrar descripciones más detalladas de ataques de cólera infantiles en dos libros muy conocidos de finales de la década de los noventa. El primero es *The Explosive Child* (El niño colérico), de Ross Green (1998), y el segundo es *The Bipolar Child* (El niño bipolar), de Dimitri y Janice Papalos (1999). Green dice que los niños coléricos son niños relativamente inflexibles e incapaces de adaptarse a situaciones nuevas, con un nivel de tolerancia muy bajo con respecto al sentimiento de frustración, una sociabilidad deficiente y un alto grado de ansiedad e irritabilidad. Estos niños suelen tener dificultad para pensar en el futuro y entender las cosas. Les cuesta también la integración sensorial, de modo que les resulta difícil combinar diferentes datos sensoriales para formar un conjunto significativo. El resultado de esta combinación de problemas suele ser un colapso, un período de cólera incoherente como el que mostraba Jimmy.

Dimitri y Janice Papalos hablan de los ataques de cólera en niños bipolares, que a menudo son provocados por los intentos de los padres de fijar límites. Un simple «no» puede dar lugar a una especie de ataque epiléptico en el que el niño muerde, golpea, patalea, rompe cosas y grita groserías. Citan ejemplos de niños que tienen varios ataques de este tipo al día, que pueden durar hasta tres horas.

Evidentemente, los niños coléricos y los niños bipolares son diferentes de los niños «normales» desde el punto de vista de su capacidad de aceptar la frustración. Cabe preguntarse si algunos o todos sus problemas podrían deberse a anomalías cerebrales: los autores creen que podría ser el caso. Hablan de qué partes del centro de control emocional del cerebro, llamado sistema límbico, puede estar dañado en esos niños. Si es así, esa anomalía puede explicar por qué esos niños no pueden calmarse y por qué pierden todo control ante la menor frustración.

Los daños cerebrales y las limitaciones pueden ser también causas importantes de la cólera en algunos adultos. Ése es el siguiente tema que vamos a tratar. Pero primero pensemos en estas cuestiones: ¿Qué sabemos de los ataques de cólera de nuestra infancia? ¿Hemos tenido algún colapso como el descrito anteriormente? ¿Con qué frecuencia? ¿Qué gravedad tuvieron? ¿Por qué nuestros padres o algunos profesionales no intentaron ayudarnos a controlar esos ataques?

Los ataques de cólera y las deficiencias de nuestro cerebro

Joe es genial con los números, pero tiene una memoria pésima. Jorge tiene una vena artística, pero no sabe expresar sus ideas con palabras. Tatiana tiene grandes dotes sociales, pero escasa capacidad lógica. Todos tienen algún defecto en el cerebro. Igual que todos nosotros. Nadie tiene un cerebro que funcione siempre bien en cualquier situación. Todos tenemos puntos débiles en el que nuestros circuitos neuronales presentan algún fallo de fabricación.

Por desgracia, hay personas que tienen defectos cerebrales en la zona en la que se controlan las emociones. Sus deficiencias pueden deberse a causas congénitas o patológicas, a daños físicos o incluso traumas emocionales. Cualquiera que sea la raíz del problema, un menor control emocional hace que estos individuos sean más propensos a sufrir ataques de cólera.

Las emociones son realmente un asunto bastante complicado. Tenemos emociones porque las necesitamos: son como mensajeros que nos transmiten una información fundamental, necesaria para actuar. «¡Oh, eso sienta maravillosamente! Sigue haciéndolo», dice el mensajero de la alegría. «Le añoro muchísimo. ¿No puedes hacer que vuelva?», pregunta el mensajero de la tristeza. Y ahora viene el mensajero de la cólera y dice: «¡Qué asco! No me gusta nada. Diles que paren».

Un cerebro sano desempeña diferentes funciones emocionales. En primer lugar, crea conexiones electroquímicas que provocan respuestas emocionales. Esto significa que el cerebro tiene que fabricar los mensajeros y enviarlos a su destino. Después el cerebro nos permite interpretar los mensajes (por ejemplo: «me entra realmente la angustia»). Luego, el cerebro tiene que inhibir el mensaje para que no siga circulando sin fin o llegue a ser demasiado potente. Es como decir al mensajero: «Vale, gracias. Tomo nota, ahora puedes irte».

Todo esto es complicado. Por otra parte, en el cerebro no hay una única parcela que sea responsable exclusiva de la regulación emocional. En realidad, el sistema límbico (compuesto por la amígdala, el septum, el giro cingular y el hipocampo) se identifica en gran parte con las emociones y se considera el centro emocional del cerebro. Pero hay otras muchas partes –como por ejemplo los lóbulos prefrontales, los lóbulos temporales, la zona gris periacueductal, los ganglios basales y el cerebelo– que forman parte también del dispositivo emocional. Eso significa que muchas otras partes de nuestro cerebro funcionarán bien si controlamos nuestras emociones en vez de dejar que ellas nos controlen. Significa también que si alguna o varias partes del cerebro se deterioran, se desarrollan mal o se pierden, habrá gran dificultad para controlar los sentimientos.

Veamos un ejemplo significativo. En cualquier momento dado, los cerebros de aproximadamente el 10 por 100 de la población parecen producir demasiado poca serotonina, un neurotransmisor que ayuda a transmitir información a través de los pequeños espacios que hay entre las neuronas. Las personas con deficiencia de serotonina se tornan tristes y se sienten por lo general faltas de energía y desesperanzadas. A menudo se les diagnostica una depresión grave. Pero la serotonina hace algo más que ayudar a algunos a sentirse vivos y llenos de energía: contribuye además a controlar los impulsos. De modo que hay individuos depresivos que son propensos a repentinos ataques de cólera y pueden dirigir esta cólera hacia fuera, a veces en forma de arrebatos irracionales. O pueden sentirse tentados por el suicidio, cuando dirigen la cólera hacia dentro, contra sí mismos.

Por otro lado, hay otro neurotransmisor, la dopamina, que puede desencadenar ataques de cólera cuando se genera una cantidad excesiva en el cerebro. Una de las razones por la que los consumidores de cocaína y metanfetamina pueden ponerse muy violentos radica en que esas drogas elevan el nivel de la dopamina en el cerebro.

El desequilibrio hormonal puede afectar también a la capacidad de controlar la cólera y la agresividad. Parece lógico que los hombres con niveles de testosterona relativamente altos resulten ser algo más propensos a la agresividad. Pero estudios recientes han demostrado que también el estrógeno puede desempeñar un papel en la agresividad, tanto en hombres como en mujeres. Lo que es particularmente interesante es que estas dos hormonas parecen magnificar y también distorsionar la percepción que se tiene de una amenaza. Y si por error uno cree que alguien se le acerca con malas intenciones, entonces es muy probable que contraataque con enojo, agresividad e incluso cólera. Los cambios hormonales en algunas mujeres premenstruales son suficientemente graves para que estas mujeres sean más propensas a sufrir más episodios de cólera de lo habitual. Muchas clientes me han informado de que tienen problemas de rabia durante tres semanas al mes, pero que sólo tienen ataques de cólera poco antes de la menstruación.

El cerebro colérico

Daniel Amen es un investigador que ha estudiado el cerebro a fondo con una técnica especial llamada SPECT (tomografía computadorizada por emisión de positrón único), que examina el flujo sanguíneo en el cerebro. La idea es que esa sangre fluye a las zonas cerebrales que están más activas durante la realización de una tarea concreta. Comparando los diagramas de muchas personas que desempeñan la misma tarea, el doctor Amen puede detectar en cualquier persona si una parte de su cerebro no está suficientemente activa, funciona bien o se muestra hiperactiva. En *Firestorms in the Brain* (Tormentas en el cerebro), Amen describe tres trastornos cerebrales que son bastante comunes a las personas coléricas.

El primer lugar, los coléricos muestran a menudo una actividad disminuida en el córtex prefrontal cuando intentan concentrarse. Esta condición se suele asociar al ADD (déficit de atención), pero, por supuesto, no todos los que tienen este trastorno son coléricos ni todos los coléricos sufren ese trastorno. La disminución de la actividad del córtex prefrontal puede significar que hay personas que tienen dificultad para centrarse y resolver los problemas cuando algo va mal y además tienen menos capacidad para controlar sus impulsos.

En segundo lugar, mientras que el problema con los lóbulos prefrontales es de hipoactividad, hay otra parte del cerebro en la que a la cólera se asocia un fenómeno de hiperactividad. El aumento de actividad en el giro cingular anterior, una porción del cerebro que descansa exactamente encima del cuerpo calloso (parte del cerebro que conecta los dos hemisferios), indica que el cíngulo funciona con demasiada intensidad. Las personas con este defecto cerebral perseveran a menudo en esquemas negativos. No pueden dejar atrás los problemas. Tienden a obsesionarse. Cuando no podemos dejar de lado un suceso, nuestra mente lo empeora y llega a hacerse intolerable, algo contra lo que hay que luchar. Por ejemplo, un padre dice a su hijo que saque la basura y el hijo lo hace, pero empieza a protestar entre dientes. Algún padre puede enfadarse por el hecho de que el hijo muestre su disconformidad de ese modo, pero la mayoría de los padres permanecen indiferentes y lo consideran una cosa típica de los adolescentes. Sin embargo, un hombre con hiperactividad en el giro cingular anterior no podría dejar de pensar en ello como un insulto durante horas o días. Entonces se desarrolla una cólera retenida. Finalmente, ese padre puede explotar en un ataque de cólera manifiesta, entrar en la habitación de su hijo y exigirle que se disculpe por un incidente que éste ya ha olvidado hace tiempo. Cuando la madre intenta calmar al padre, tan sólo consigue enfurecerle más y que le acuse de ponerse siempre de parte del hijo.

El tercer trastorno relacionado con la cólera que describe el doctor Amen es el de la actividad anormal (excesiva o insuficiente) del lóbulo temporal izquierdo, una gran estructura situada en el lateral izquierdo de la cabeza. Esa actividad anormal hace que las personas afectadas monten en cólera. Esas personas suelen informar de que se enojan mucho de manera repentina, un ejemplo típico de ataque de cólera.

¿Qué ocurre cuando alguien es tan desafortunado que reúne esos tres trastornos, como sucede a algunas personas? Pongamos por caso que un amigo se olvida de recoger a esa persona una noche para ir a una fiesta. Finalmente, decide ir en su propio coche. Camino de la fiesta, empieza a pensar en la ofensa, y piensa y piensa. No puede desarrollar ninguna estrategia porque por mucho que intenta permanecer tranquilo, está demasiado enfadado para concentrarse. Además, no puede calmarse porque en lo único que puede pensar es en lo ofendido que se siente. Así que cuando llega, va directo al amigo y dice lo primero que le pasa por la cabeza: «Eres un gilipollas. Debería matarte». E inmediatamente se enzarza en una pelea a puñetazo limpio con el amigo.

Conviene mencionar en este punto que algunas personas que sufren ataques de cólera mejoran con medicamentos de prescripción. Existen fármacos excelentes para quienes sufren el mal funcionamiento de esa zona cerebral que regula las emociones. Hay psicoestimulantes, como por ejemplo el Ritalin, que ayudan a incrementar la actividad del lóbulo prefrontal, de modo que quien lo toma puede concentrarse mejor y resolver sus problemas; a menudo, los antidepresivos aminoran los pensamientos negativos obsesivos, y los anticonvulsivos, como el Tegretol, el Depakote y el Lamictal, pueden disminuir los arranques de cólera en personas con anomalías de los lóbulos temporales.

Una persona que sufre frecuentes ataques de cólera debe plantearse al menos la posibilidad de tomar una medicación; sobre todo si ha intentado seria y repetidamente controlar esos episodios y no lo ha conseguido. Asimismo es fundamental recurrir a la medicación si la persona se excita tanto que puede llegar a herir a alguien o herirse a sí misma. En resumidas cuentas, los ataques de cólera son episodios peligrosos que deben detenerse. Si uno mismo no puede detenerlos, ni siquiera con la ayuda de familiares, amigos, religiosos o terapeutas profesionales, conviene que deje de lado el ego y busque ayuda médica. Al hacerlo, tiene que asegurarse de que trata con un psicólogo o psiquiatra cualificado o un especialista en el tratamiento de la cólera a quien se pueda describir las pautas específicas del tipo que sufre.

Al hablar de la cólera, conviene no olvidar otro problema cerebral: se trata de las lesiones asociadas a los traumas emocionales. En el siguiente apartado se habla de cómo este problema cerebral puede ser una reacción a un estrés excesivo.

Estrés excesivo y trauma emocional

El *estrés* es una respuesta del organismo a cualquier tensión física, mental o emocional. Los investigadores saben desde hace tiempo que un estrés moderado aporta energía a las personas. ¿Hasta qué punto se puede lograr lo que se pretende sin ejercer un poco de presión para conseguir un escrito a tiempo, llevar a casa la paga o resolver una reciente desavenencia con la pareja? Sin embargo, las personas hacen todo muy mal cuando hay demasiado estrés en su vida.

La siguiente pregunta está dirigida al lector. ¿Cómo se las apañaría uno si en el curso del mismo mes le ocurrieran todas estas cosas: sufre un terrible dolor de espalda que le baja por las piernas; su hijo ha contraído una enfermedad grave y lleva varias semanas en cama; ha tenido que reducir la jornada laboral y no le llega el dinero para pagar las facturas; su mejor amigo, la única persona con la que puede hablar, se ha ido a vivir a otra ciudad; y la pareja le ha dicho que está pensando seriamente en dejarle?

Eso genera mucho estrés. Puede que sea de esos pocos afortunados que navegan fácilmente en aguas turbulentas. O puede ser de los muchos que difícilmente pueden mantener el bote a flote cuando todo va mal. En ese caso, puede sentirse desesperado y deprimido, con tanta ansiedad que no puede dormir. Puede llegar a aislarse en un intento de mantenerse apartado de todo y de todos. El cuerpo y la mente parecen entumecidos. Probablemente, intente combatir el agotamiento físico y mental. Se preocupa, se preocupa y se preocupa. Una sensación de pánico se apodera de su persona. Y puede estar dispuesto a un arrebato de cólera.

No todo el mundo, por supuesto, deviene colérico cuando está presionado por el estrés. Pero hay gente que sí. Se trata de individuos que tienden a enfadarse mucho. En circunstancias normales, tienen capacidad para controlar la cólera, pero no la tienen para controlar el estrés sin volverse locos. Si se es una de esas personas y se está en un estadio de estrés como el descrito, se es vulnerable a la cólera.

Imaginemos que estamos conduciendo de vuelta a casa tras un día especialmente ajetreado; y mira por dónde el idiota del descapotable rojo se nos cruza justo cuando estamos a punto de cambiar de carril. Odiamos eso, la gente grosera que no respeta las reglas de tráfico. Un minuto después, nos quedamos parados en un atasco y apenas podemos avanzar. ¿Quién está justo delante de nosotros? Pues sí, el tipo del descapotable con aspecto fresco y relajado. Y, de repente, ya no podemos soportar más. Empezamos a tocar el claxon y a gritarle. Echamos pestes. Le insultamos a voz en grito y le amenazamos con el puño. Le retamos a salir del coche y a pelear. Y ahí estamos, sentados en el coche, echando chispas. Lo mejor que puede pasar es que el tipo del descapotable sepa contenerse ahora, justo cuando nosotros no podemos, si no uno de los dos puede morir.

El pasado puede ser también una causa inductora de la cólera. Sucede cuando en la infancia, en la adolescencia o a principio de la edad adulta se han experimentado unos sucesos terribles, muy graves. Un trauma puede llegar a producir un daño cerebral que disminuya la capacidad para controlar las emociones y lleve a sufrir ataques de cólera. Los traumas emocionales graves, los que ocurren en situaciones de riesgo mortal –tales como una agresión física o una violación, o cuando se es testigo de un acto violento– producen a menudo cambios cerebrales perennes. Esos cambios están ideados para ayudar a los supervivientes de estos traumas a vivir en un mundo peligroso. Con ese fin, esas personas están siempre muy alertas a cualquier tipo de peligro. Además llegan a ser exageradamente reactivas al peligro detectado. Desgraciadamente, el resultado es que primero piensan erróneamente que les van a atacar y después erróneamente se defienden del ataque. En el capítulo 5 se examinarán más en detalle los daños cerebrales relacionados con los traumas.

La pregunta que debe hacerse ahora es: ¿tiene algo que ver la frecuencia de los ataques de cólera que se sufren con las épocas de gran estrés? Si la respuesta es «mucho», entonces lo que hay que hacer es aprender maneras propicias de manejar o aminorar el estrés.

Alcohol, drogadicción y fármacos de prescripción

Un muchacho de diecinueve años llamado Jake, recién ingresado en la universidad, fue expulsado de su facultad tras un incidente muy extraño ocurrido un lunes por la mañana. Se había pasado todo el fin de semana bebiendo y tomando drogas. Aquel sábado y aquel domingo había consumido un cóctel de drogas: alcohol, calmantes, anfetaminas y «unas cuantas pastillitas de color verde, no sé de qué». Jake no había bebido ni tomado drogas en el instituto, pero ahora que estaba libre de las normas de la casa paterna, se había desmadrado. Por desgracia, James se ponía a veces violento cuando se emborrachaba o drogaba. De hecho, tan sólo el fin de semana antes, un par de compañeros tuvieron que separarle de otro chico en una pelea en un bar.

El lunes por la mañana, Jake estaba bajo los efectos de al menos cuatro sustancias que provocaban alteraciones de la conciencia y del comportamiento. Ahí fue cuando Howie, su compañero de habitación, le zarandeó para despertarle. Jake se había vuelto loco: «No recuerdo qué me pasó. Sólo sé que empecé a pegar a Howie. No podía parar. Creo que le cogí por el cuello e intenté estrangularle. Y eso que es mi mejor amigo». Howie acabó en el hospital con heridas graves. A Jake le expulsaron de la universidad y cabía la posibilidad de que le condenaran a un año o más de cárcel.

La situación de Jake está clara. Bebe, se droga y se pone violento. Quizás no siempre, pero suficientemente a menudo para establecer una pauta de comportamiento. Jake es el típico muchacho que puede acabar entrando y saliendo continuamente de la cárcel. Para evitar esos ataques tendrá que dejar el alcohol y las drogas para siempre.

Pero la cosa no es así de sencilla. Verdaderamente, la relación entre drogadicción y violencia (incluidos los ataques de cólera) es complicada. Presentamos a continuación unas cuantas posibilidades. El consumo de alcohol o fármacos que alteran el estado de ánimo pueden tener las siguientes secuelas:

- Desinhibir la cólera retenida de manera que uno se diga: «Ahora voy a decirte lo que realmente pienso, imbécil...». Quizás se sienta ya colérico antes de llegar a explotar, pero las drogas hacen que una agresión potencial llegue a ser real. Pero hay que tener en cuenta que quizás la persona espera que esto ocurra. Puede incluso que desee que ocurra. Ello significa que la agresión puede producirse realmente no por efecto inmediato de la droga ingerida, sino por la confianza en que se volverá colérico cuando la tome.

- Potenciar la irritabilidad cuando se está drogado. Es una situación de «cuando estoy colocado, no te metas conmigo».

- Incrementar las posibilidades de sufrir un ataque de cólera bajo los efectos de la droga. Ésa es la situación de Jake.

- Producir un cambio de personalidad a largo plazo asociado a daños cerebrales que incrementan el riesgo de ataques de cólera. Si, por ejemplo, toma muchas anfetaminas (*speed*, metanfetamina), puede llegar a tal grado de irracionalidad que acabe siendo calificado de paranoico o esquizofrénico paranoico.

- Contribuir a acumular sentimientos de cólera en vez de hablar de ellos. Los fumadores habituales de marihuana, por ejemplo, afirman que cuando están colocados se vuelven más pacíficos. Pero los investigadores no corroboran esa afirmación. De hecho, hay personas que con la marihuana se vuelven más irascibles, y no menos, por lo que hay que ser cautelosos con el uso de la marihuana como calmante.

A continuación, la peor de las situaciones. Missy es una persona que tiene ya detrás de sí una historia de cólera extrema y agresión. Sabe que drogarse incrementa las posibilidades de volverse violenta. Pero le da igual. A Missy le gusta correr riesgos. Además, no se siente bien si no sucede algo. Enfurecerse, colocarse, ambas cosas hacen que Missy se sienta viva y con energía. Así que sale y se va al bar con la intención de beber hasta que no se tenga en pie, esnifar unas cuantas rayas de coca y tragarse unas cuantas pastillas. Pero esa noche sucede algo extraño. Por alguna razón, Missy se siente más eufórica que nunca. Y también más rabiosa que nunca. La combinación de las drogas y la cólera le produce lo que se llama un *efecto sinérgico*. Resulta que la mezcla de alcohol, drogas y cólera multiplica los efectos de cada cosa, de modo que Missy se vuelve una bomba nuclear humana. Le entra un ataque de cólera extrema, tira el vaso, rompe el palo de billar, profiere palabrotas, provoca a todo el mundo, hombres y mujeres, hasta que finalmente la echan del bar a la una de la mañana sin que tenga a dónde ir ni saber cómo volver a casa.

Si se tienen problemas con los ataques de cólera, se ha de ser muy honesto consigo mismo con respecto al consumo de sustancias que alteran la conciencia. Francamente, se trata de un lujo que no puede permitirse.

Hasta aquí, en este apartado, se ha hablado de la relación que puede haber entre alcohol, drogas y cólera. Pero hay algo más que conviene pensar también: hay personas normales y corrientes (si bien es poco frecuente) que pueden desarrollar ataques de cólera cuando están tomando fármacos recetados por su médico. ¿Ha oído hablar el lector alguna vez del «efecto iatrogénico»? Es un término que debe tenerse en cuenta si se está tomando algún fármaco. Un *efecto iatrogénico* es un fenómeno imprevisto y desafortunado que ocurre tras tomar una medicación, aún cuando la persona ha tomado exactamente las dosis prescritas. Entre otras cosas puede causarle un sarpullido, dolores de cabeza, mareos y cosas por el estilo.

Volverse repentinamente una persona propensa a la cólera es un efecto iatrogénico que ocurre de vez en cuando. Las reacciones de cólera, en particular, pueden sobrevenir cuando el médico receta benzodiazepinas como el Valium, aunque dichos fármacos se receten para que las personas se relajen. Sin embargo, la cuestión no está en controlar este tipo de medicamentos; el problema es más aleatorio. El hecho es que, si bien es muy improbable, cualquiera puede llegar a tener ataques de cólera y volverse agresivo con muchos medicamentos recetados. Eso significa que siempre hay que controlar los efectos de los fármacos, los que toma uno mismo y los de sus seres queridos. Si se percibe un aumento de la iracundia, agresividad o cólera que sobrevienen cuando se inicia una medicación, es preciso ponerse en contacto de inmediato con el médico.

Esta advertencia interesa en especial a dos grupos. El lector debería comprobar si pertenece a alguno de los dos. El primer grupo, como el lector puede imaginar, es el de aquellas personas que ya tienen problemas de enojo, agresividad y cólera. Son tan propensos a sufrir un ataque que cualquier pequeña agitación, aumento de energía o desorientación puede abocarlos al abismo. Al segundo grupo pertenecen los alcohólicos y drogadictos que están en fase de recuperación, muchos de los cuales tienen reacciones fuertes e impredecibles a los medicamentos. Si uno forma parte de alguno de los dos grupos, debe tener mucho cuidado al iniciar una nueva medicación y tomar buena nota de todo fármaco que potencie su ira o aminore su capacidad de controlar los impulsos.

Aprender a controlar la cólera en la infancia y las recompensas de la cólera

Por lo general, los humanos obedecemos a dos simples reglas: hacer lo que hacen nuestros padres y lo que nos proporciona una recompensa. Son reglas buenas. Ofrecen unas pautas útiles en la vida. Sin embargo, desafortunadamente, cualquiera de esas dos reglas puede fomentar el desarrollo de patrones de ira.

Empezaremos con la norma de «hacer lo que hacen nuestros padres». A esto se le llama *imitación*. Los niños imitan de modo instintivo el comportamiento de sus padres, copiando sus palabras, sus acciones, sus gestos, sus creencias, sus miedos, sus maneras de sonreír, de fruncir el ceño; casi todo lo que los padres hacen. La semana pasada, por ejemplo, mis dos nietos mayores, David y Christopher, me contaron con todo lujo de detalles de la gran excursión que habían hecho con su padre para ir a pescar. Me describieron todos los peces que habían pescado, lo que los peces habían hecho cuando los pescaron y cómo los habían medido parar decidir si se los quedaban o no. Durante ese rato, los dos niños se parecían de un modo casi exacto a su padre y hablaban casi igual que él. Esta imitación de los padres es algo maravilloso. Pero, ¿qué sucede cuando los padres se encolerizan a menudo? Estos padres siguen el lema «cuando la cosa se pone fea, monta en cólera». Se ponen a tirar cosas al suelo. Rompen objetos. Chillan, gritan. Pegan a la gente. Puede que después pidan perdón y digan que lo sienten mucho, que no quieren asustar a nadie o hacerles daño, que nunca lo volverán a hacer. Después, tienen otro ataque de cólera, y otro. Sus hijos aprenden que la cólera es un comportamiento habitual.

No todos los que se crían con unos padres, abuelos o adultos cercanos que son coléricos acaban siendo personas también coléricas. Pero la posibilidad de volverse colérico es mayor si uno se cría con un padre que lo es.

Los niños pueden llegar a odiar ese patrón de conducta de la cólera. Crecer junto a adultos que reniegan no les hará ser agresivos o violentos como sus padres. Pero los padres coléricos se infiltran en la mente de los hijos de modo inconsciente. Después, años más tarde, cuando esos niños son adultos pueden comportarse de pronto como lo hacían su padre o su madre.

Marinda es una de esas personas. Acudió en busca de ayuda porque un día se comportó coléricamente con su hijo Timmy, de siete años. Timmy se había comido un trozo de pastel sin permiso. No esperó a la hora de cenar. Marinda empezó a regañar al niño. De repente, empezó a zarandearle, a gritarle, a injuriarle, a abochornarle. Marinda no se daba cuenta de que estaba perdiendo el control. Por fortuna, se obligó a sí misma a salir de la habitación. Se mantuvo alejada de Timmy hasta que pudo calmarse. «Actué como mi madre, exactamente igual», dijo Marinda chascándose los dedos. Marinda había crecido junto a una madre temible y colérica. Lo que menos quería era ser una madre temible y colérica. Y eso fue lo que ocurrió en un minuto. Marinda, que había observado a su madre todos aquellos años, había aprendido inconscientemente lecciones de cólera.

¿En qué tipo de familia se ha criado usted? ¿Eran adultos coléricos? ¿Había alguien que se encolerizaba? ¿Qué aprendió sobre la cólera cuando era pequeño?

Ahora contemplaremos la segunda regla básica: las personas hacen aquello que les recompensa. Esta regla se aplica a la cólera. Veamos un ejemplo. A Maxie, un joven de diecisiete años que iba al instituto, le diagnosticaron diferentes problemas psiquiátricos, entre ellos un síndrome de hiperactividad, trastorno bipolar, trastorno obsesivo compulsivo y síndrome de Asperger. Al igual que otros chicos con problemas, cada nuevo psicólogo y cada nuevo psiquiatra al que le llevaba su madre formulaba un diagnóstico diferente. Maxie sufría problemas de atención en el instituto. Debido a su comportamiento irregular, tenía muy pocos amigos. También había un gran problema con los ataques de cólera. Maxie podía montar en cólera en cuestión de segundos. No podía controlar ese comportamiento aunque toma fuertes dosis de medicamentos.

Pero, un momento, ¿por qué Maxie casi nunca tenía arranques de cólera en algunas situaciones? Maxie, por ejemplo, sufría un ataque de cólera a la semana en la clase de sociales con el señor Johnson, pero en la clase de ciencias del señor Thorson sólo ocurrió una vez en todo el curso. La respuesta está en que el señor Johnson compensa sin quererlo a Maxie por sus ataques de cólera y el señor Thorson no lo hace. ¿Cómo? Cuando Maxie monta en cólera, el señor Johnson se enfurece, le sermonea delante de toda la clase y después le expulsa. Maxie se gana la aprobación de sus compañeros de clase porque se enfrenta al profesor. Atrae la atención (la atención negativa es mejor que ninguna) y después empieza a hacer payasadas fuera de la clase. Por otra parte, el señor Thorson controla a Maxie de modo regular. Si ve o nota que Maxie va a tener un ataque de cólera, habla con él con toda tranquilidad. Ha concertado una señal con Maxie de modo que éste le hace saber si necesita calmarse. Pero si Maxie empieza a perder el control, el señor Thorson le manda inmediatamente que salga de la clase. Evita discutir con el chico. Después, habla con él pasados unos minutos y le hace volver a clase.

El tema de los ataques de cólera no está completo si no se habla de las compensaciones de ese comportamiento. Las *compensaciones* son las recompensas, intencionadas o no, del comportamiento colérico. La recompensa puede ser intencionada, inmediata y directa («Me enrabio y me dan lo que quiero») o indirecta e involuntaria. En cualquier caso, los sujetos coléricos saben que con la cólera pueden conseguir aquello que quieren. Uno simplemente sigue haciendo lo que da resultado. Los ataques de cólera se automatizan. Con el tiempo, se siente más a gusto en este juego y cuanto más se vea recompensado por esos ataques, tanto más a menudo perderá el control.

La moraleja de esta historia es: no dé mal ejemplo a sus hijos y no compense a nadie, tenga la edad que tenga, por los ataques de cólera.

Hay otra moraleja más: hay que ser honesto consigo mismo sobre la causa de la cólera. Conviene preguntarse qué tipo de recompensas se consiguen con la cólera. Después hay que preguntarse si se está dispuesto a renunciar a ellas.

La cólera puede ser excitante

«Voy buscando pelea. Busco los ataques de cólera. Me gusta pelear y no me gusta pelear.» Estas palabras son de Demetrius, de veinticinco años de edad, miembro de un grupo de autoayuda para el control de la cólera. Demetrius tiene un largo historial de problemas causados por la cólera. Le han detenido varias veces y si no controla su temperamento se enfrentará a una condena de cárcel. El problema es que Demetrius no puede hablar de sus ataques de cólera pasados sin una sonrisa. Los ojos también le brillan. Tan sólo pensar en la cólera parece reanimarle.

En otro libro (*Letting Go Of Anger* – Deshacerse de la cólera) he escrito sobre lo que se denomina *cólera adictiva* o *cólera excitante*. Lo cierto es que la cólera puede transformar a una persona. Y la cólera, la forma más intensa del enojo, puede excitar más que cualquier tipo de enfado. Sólo hay que preguntar a Demetrius. «¡Eh, chicos, voy a deciros algo! La cólera es tan buena como el sexo. Puede que mejor.»

Demetrius anhela tener cólera. Sólo funciona sin cólera hasta que sale en busca de pelea. Cualquiera le sirve: su novia, pequeña y delgada, su mejor amigo o el corpulento ex jugador de fútbol americano que está sentado en la barra del bar. Le da lo mismo. Primero se enfada consigo mismo, después se enfrenta a ellos a la espera de que empiecen. Si no lo hacen, ataca él. Saborea la sangre. Siente el dolor. Pierde la cabeza. ¡Oh, sí!

Llamo a esa cólera «excitante» porque produce una subida de adrenalina. Pero también la denomino «adictiva», pues es difícil deshacerse de ella cuando uno mismo ha aprendido a sentirse bien de ese modo.

Ahora Demetrius puede enfrentarse a este modelo adictivo. Puede aprender a vivir sin cólera, al igual que otros tienen que plantearse vivir sin alcohol, sin pastillas o sin apuestas. Su objetivo sería no enfurecer nunca. Por muy desesperadamente que busque la excitación, por muy intensamente que anhele esa sensación, por muy sediento que esté de cólera, debe encontrar otro camino en la vida. Podría encontrar otra manera más positiva de satisfacer su gusto por la excitación (por ejemplo, trabajando de técnico auxiliar de un servicio de urgencias médicas u otra profesión que implique fuertes crisis emocionales o físicas). O bien podría canalizar hacia otras maneras de disfrutar con actividades tranquilas. Podría intentarlo con la relajación o la meditación, por ejemplo. Por supuesto que ese tipo de sensación, de serenidad, no le será fácil a alguien como Demetrius. Sin embargo, puede llegar a descubrir que la vida merece la pena aun sin estar excitado.

¿Se siente usted atraído por la excitación de la cólera? Si es así, ¿merece la pena?

Vergüenza excesiva

La vergüenza es el sentimiento de que algo va mal en lo más profundo de uno mismo. Pat, mi mujer, y yo escribimos hace varios años un libro sobre la vergüenza, titulado *Letting Go of Shame* (Deshacerse de la vergüenza). Empieza con la historia de una niña pequeña que se lo pasa bomba haciendo figuras de barro. Imaginemos a una niña de unos dos años de edad, después de un día lluvioso, sentada en el jardín con un bonito vestido y haciendo maravillosas figuritas de barro. Pero su madre se la encuentra allí. «¡Deberías avergonzarte! Estás sucia. Eres una niña mala. ¡Deberías avergonzarte!»

Imaginemos historias similares a ésta que se repiten a lo largo de toda la infancia de esa niña. Antes de huir de casa habrá escuchado la expresión «¡deberías avergonzarte!» cientos de veces. Y habrá muchos hechos vergonzosos, aunque no haya oído esa expresión en voz alta, críticas constantes y malas caras. Esa niña puede que llegue a ser una mujer que piense realmente que no es buena y que nunca será suficientemente buena.

La vergüenza forma parte de la vida de todos. En realidad, un poco de vergüenza no es nada terrible. De hecho, sentir vergüenza en la justa medida y en momentos adecuados es muy saludable. Recuerdo, por ejemplo, una vez en que me sentí avergonzado, cuando sin estar preparado intenté dar una charla delante de una audiencia. Me quedé sin saber qué decir. Me puse colorado. Quería salir corriendo. Me sentí totalmente un farsante. Pero después de eso, me prometí a mí mismo prepararme siempre antes de dar una conferencia. No quise volver a sentir semejante vergüenza.

En cambio, un exceso de vergüenza puede ser perjudicial. La vergüenza puede llegar a instalarse en nuestras almas. Podemos llegar a ser lo que el escritor Gershen Kaufman (1996) llama «preso de la vergüenza», un ser incapaz de sentirse bien consigo mismo. Ese sentimiento de maldad intrínseca es terriblemente doloroso. Y, lo que nos interesa especialmente en este contexto, un exceso de vergüenza puede ser el fundamento de un tipo de cólera muy peligrosa denominada *cólera de vergüenza*. Este tipo de cólera sobreviene cuando alguien ya no puede soportar sentirse avergonzado. Así que pasa al ataque. Avergüenza y culpa a su pareja, sus hijos, sus amigos, a desconocidos, en suma, a todo el mundo. Su objetivo es traspasar su vergüenza a los demás. Los ataques de ira causados por la vergüenza llegan a ser un terrible intento de deshacerse de la vergüenza para sentirse bien consigo mismo.

La vergüenza también aísla. ¿Quién desea relacionarse con otros cuando se considera despreciable y desagradable? Así que muchos individuos que se sienten avergonzados rehuyen el contacto con otras personas. Acaban sintiéndose diferentes, que son una carga; despreciados, incluso. Se *marginan,* lo cual significa que se quedan fuera de los grupos y siempre sienten que no pertenecen a ellos. Y, en ocasiones, estas personas profundamente avergonzadas empiezan a despreciar y a odiar a todos aquellos que parecen encajar en el grupo. Desarrollan una cólera interior contra todos los guapos del mundo que les dejan fuera de onda. A veces, en un arranque de furia, atacan a quienes ven como sus principales torturadores. También pueden arremeter contra grupos e instituciones que, según ellos, les mantienen sumidos en la miseria en un mundo lleno de ricos. Ahí es cuando llegan a *arrasar*, a atacar físicamente a un grupo, una organización o una institución.

Demasiadas pérdidas

Hay otro tipo de experiencias de la vida que generan un terreno abonado para el desarrollo de la cólera. Se trata de las pérdidas muy numerosas o muy intensas.

Todos sabemos que las pérdidas son inevitables en la vida. Personas que amamos mueren. Los amigos se van. Las parejas se divorcian. Los hijos crecen y se van de casa. Nos entristecemos y seguimos adelante. Pero hay un tipo de pérdida que nunca se asume bien y que es especialmente difícil de superar. A esa pérdida la llaman *abandono*. Los abandonos se sienten como pérdidas innecesarias, como decisiones arbitrarias que alguien toma sólo para herirnos. El sentimiento de abandono conlleva una punzante pregunta: «¿Por qué me has dejado?». Con mucha frecuencia no se encuentra razón alguna para consolar a la persona abandonada. ¿Cómo explicar a un niño de seis años que su papá no volverá de Irak? ¿Qué decir a una mujer de cuarenta años a quien su marido ha abandonado por otra más joven? La gente a veces se queda atrapada en esas preguntas sin respuesta. No pueden dejar de cuestionárselas. No pueden seguir adelante. Sienten un vacío que no pueden soportar. Y ese vacío psicológico abre un espacio al desarrollo de la cólera.

Este tipo de cólera se inicia cuando la gente deja de preguntar y empieza a culpar. Entonces el «¿por qué me has dejado?» se convierte en «deberían castigarte por haberme dejado». El resultado es una *cólera de abandono,* un ataque furioso contra la persona que se ha ido, o quizás contra alguien que recuerda a la persona abandonada la pérdida que ha sufrido, o puede que contra todo un mundo de personas que «dicen que me quieren pero siempre se van». Los ataques de cólera de abandono son una mezcla de recelo, odio y ansia. Las personas que los sufren recelan de todo el que pueda abandonarlo y traicionarlo. Odian a la gente por abandonarle. Y anhelan ser amados, atendidos y protegidos del mal.

La cólera de vergüenza, el acto de arrasar y la cólera de abandono son temas muy importantes que posteriormente se trataran más en detalle en este libro.

Propensión a la cólera

He aquí un listado de las personas que tienen más posibilidades de sufrir ataques de cólera. Compruebe en qué puntos se ve reflejado.

☐ Tengo menos de veinticinco años.

☐ Cuando era niño, explotaba, me encolerizaba, perdía el control o me ponía violento más a menudo (o más intensamente) que los demás niños.

☐ Puede que tenga daños cerebrales (debido a caídas, peleas, accidentes, etc.).

☐ Cuando me enrabio, parece como si el cerebro se me paralizara o me funcionara mal.

☐ Cuando estoy muy estresado, suelo ponerme muy colérico.

☐ Tengo un historial de traumas físicos o emocionales que hacen que me sienta aterrado, vulnerable o a la defensiva.

☐ Si bebo alcohol o cualquier otra sustancia que altera la conciencia tengo problemas para controlar la cólera.

☐ He tomado o estoy tomando una medicación que parece hacerme más propenso a los ataques de cólera.

☐ De niño sentí y vi a mis padres (o a otros adultos muy cercanos) montar en cólera.

☐ Cuando era niño, conseguía lo que quería poniéndome furioso o perdiendo el control.

☐ Me excitan los ataques de cólera. Me hacen sentir vivo, alerta y bien.

☐ Reacciono violentamente si me siento avergonzado (menospreciado o humillado).

☐ Reacciono violentamente si me siento abandonado, rechazado o traicionado.

3

La cólera repentina

Los ataques súbitos de Ricky

Ésta es la historia del fuerte y súbito ataque de cólera de un hombre. Se trata de Ricky. Tiene veinticuatro años, es hispano, un hombre orgulloso de genio vivaz: «Estaba desempleado. No encontraba trabajo en ningún sitio. Apenas podía arreglármelas. Era a primera hora de la mañana. Llegó mi ex novia. Tuvimos una discusión. Me miró a la cara y me puso las manos encima. ¡Me puso las manos encima! Ahí fue cuando exploté. No me acuerdo ni el motivo de nuestra disputa. Yo no era yo. ¡Me trasformé en un monstruo! La agarré y empecé a apretarle el cuello. Nos empujábamos y nos dábamos golpes. La dejé sin respiración hasta que perdió el conocimiento. No recuerdo lo que dije. Pensé que le estaba dando una lección, diciéndole que no se metiera en mi camino. Me sentía muy inquieto, furioso. Ni siquiera intenté detenerme. Pero me paré y estuve deambulando por el vecindario unas cuantas horas. Me quedé exhausto y me fui a dormir. Esto me sucede muchas veces, cuando me encuentro en situaciones que no puedo controlar.»

La cólera repentina y la pérdida de control

La cólera repentina es la experiencia de una furia súbita e imprevista que trasforma a la persona hasta el punto de que puede llegar a perder total o parcialmente el control de sus pensamientos, sus sentimientos y sus acciones.

El contenido de la cólera de Ricky gira en torno al tema de la pérdida de control. Su ex novia le hacía perder el control «mirándome a la cara y tocándome». Ésta es una forma de cólera de impotencia (véase el capítulo 6). Este capítulo se centra en el modo en que Ricky monta en cólera, no en la causa. Los ataques de Ricky encajan a la perfección en las pautas de la cólera repentina. Su cólera es rápida e intensa a la vez: no tiene previsto montar en cólera. Por el contrario, para Ricky es como si la cólera llegara sin avisar. En realidad, hay signos en este caso de que Ricky puede explotar, especialmente su afirmación de que está sin trabajo y bastante desesperado. Pero Ricky dijo que aquel día había estado bien hasta el momento de la discusión con su ex novia. No hubo señal alguna de que estuviera a punto de tener un ataque de cólera.

Cuando Ricky se encoleriza, pierde el control de lo que dice y de lo que hace. Observemos en cambio que, incluso en medio de esa explosión, Ricky no pierde el control totalmente («Ni siquiera intenté detenerme. Pero me paré»). Aunque fue un grave ataque de cólera repentina, fue tan sólo un ataque parcial. Si hubiera sido total, su ex novia habría muerto. Cuando Ricky monta en cólera, se vuelve furioso de inmediato, tan furioso que no puede mantener el control mental ni corporal. A veces pierde el conocimiento y es incapaz de recordar más tarde gran parte o todo lo que ha hecho. Cuando hablamos del tema, dijo que sus amigos bromeaban sobre sus ataques de ira. Todos decían que cuando se enfurecía actuaba de modo extraño y como un loco. «Se te ve en los ojos», le decían. En esos momentos, los ojos de Ricky se vuelven vidriosos y brillantes. Él admite que se siente una persona diferente cuando se encoleriza, como si fuera otro.

Todo esto preocupa mucho a Ricky. Pero lo que más le preocupa es que durante un ataque pueda herir o matar a alguien. «Aquel día hice mucho daño a mi antigua novia. No la solté hasta que perdió el conocimiento. Y ahora ni siquiera recuerdo de qué estábamos discutiendo.»

Pequeñas cóleras repentinas

Comparemos por un momento la cólera con los agujeros negros. Los astrónomos han descubierto muchos agujeros negros en el universo, lugares don-

54

de la gravedad es tan fuerte que ni siquiera la luz puede escapar. Por ello se llaman agujeros negros, claro. Muchos de estos increíbles lugares son tremendamente grandes. Algunos pueden llegar a tener millones de estrellas del tamaño de nuestro sol. Huelga decir que estas estructuras han llamado mucho la atención durante las dos últimas décadas debido a su gigantesco tamaño. Sin embargo, últimamente los físicos han estado barajando la idea de que puede que haya billones de minúsculos agujeros que aparecen y desaparecen como una estrella fugaz. Duran muy poco tiempo (una fracción de segundo) y no hacen nada. Pero están ahí. En realidad, puede que haya muchos más agujeros negros diminutos que grandes.

Los ataques de cólera repentinos son como agujeros negros, pues es más probable que se sufran bastantes más pequeños ataques de cólera que arrebatos descomunales. Hay que tener en cuenta que no todos los ataques de cólera repentina son violentos como los de Ricky ni duran horas. Lo más frecuente es que ocurra algo así: «Mira, no sé qué me pasó. Estábamos discutiendo de dinero, y de repente exploté. Le insulté y me fui a mi habitación. Todo ocurrió en un minuto, y después me sentí como un absoluto imbécil». Ese «exploté» es el signo de que la persona tuvo un pequeño ataque de cólera. Sintió, sólo por un momento, que no había actuado como él mismo. No que hubiera perdido por completo la conciencia ni que hubiera perdido la sensación de ser él mismo. Sí, era él mismo, pero a la vez sintió que no era del todo él mismo. Tuvo una transformación incompleta.

Es un asunto un poco difícil. Se puede tener un ataque de cólera menos fuerte que algunos arrebatos de cólera normales. La cuestión no radica en la intensidad del suceso, sino en su naturaleza más profunda. Cuando una persona siente que tan sólo por breves momentos, mientras se enfada, es una persona diferente, es que esa persona está experimentando un ataque de cólera.

Los ataques fuertes de cólera repentina llevan a muchas personas como Ricky a buscar ayuda. Eso es bueno, pues ese tipo de cólera es peligroso. Pero, ¿qué hacer si se tienen pequeños y frecuentes ataques de cólera? Mi consejo es que uno se informe tanto como pueda de la manera de prevenirlos, pues ello le será muy útil. Aunque sean pequeños episodios de cólera, no por ello dejan de dañar las relaciones con los demás y la propia autoestima. Además puede ocurrir que se vayan transformando progresivamente en episodios de cólera más largos e intensos, pues el cerebro se habitúa a perder el control.

¿Tiene usted ataques de cólera repentina?

¿Qué tiene usted de común con Ricky? ¿Con qué frecuencia tiene pequeños ataques de cólera repentina? Responda a estas preguntas:

- «¿Monto en cólera de forma rápida e intensa a la vez?»
- «¿Me encolerizo tanto que pierdo el control de lo que digo o de lo que hago?»
- «¿Me dicen que cuando me encolerizo actúo de modo extraño, doy miedo o me vuelvo realmente loco?»
- «¿Me enfurezco tanto que me preocupa seriamente herir o matar a alguien?»
- «Cuando me enfurezco instantáneamente, ¿me siento una persona diferente, como si en realidad no fuera yo?»
- «¿Me encolerizo al instante cuando me siento insultado o amenazado?»
- «Cuando me enfado, ¿exploto aunque sea por muy poco tiempo?

Si uno se ve a sí mismo como una persona que sufre ataques de cólera repentina, tendrá que prestar atención al resto de este capítulo. En él se trata de cómo prevenir la cólera repentina.

Cómo detener la cólera repentina

A continuación, se describen siete pasos que conviene seguir para detener la cólera repentina.

Paso 1. *Sea optimista. Convénzase de que puede aprender a contener los ataques de cólera.*

Es fácil perder la esperanza a la hora de poner coto a los ataques de cólera. ¿Por qué? Pues porque muchas veces la cólera, especialmente la cólera repentina, parece presentarse como si cayera del cielo. Es como si uno estuviera en un restaurante y el camarero apareciera de repente con un chuletón de un cuarto de kilo. «¿Quién ha pedido esto?», pregunta, y el camarero responde: «Usted lo ha pedido, y aquí tiene la cuenta». Ese enorme chuletón es la cólera, y la cuenta es lo que le va a costar después.

La cosa es decirle al camarero: «Espere un minuto. Yo no he pedido este chuletón. No lo quiero. No me lo ponga en la mesa. Lléveselo a la cocina». Puede que el camarero discuta insistiendo en que el chuletón es suyo. Quizás le diga que la última vez que estuvo aquí pidió uno de ese tamaño. Incluso puede que le diga que han guardado la pieza más grande porque saben cuánto le gusta. Pero no hay que dejar que el camarero lo convenza de que lo tome. Y no necesita más ese tipo de comida.

Hay una diferencia muy importante entre el camarero que ofrece un chuletón y el que ofrece un ataque de cólera. El primero vive en su propia casa. El segundo habita en nuestra cabeza. Y ahí es donde empiezan todos los ataques de cólera. En la cabeza. En el cerebro. Tanto mejor: se trata de nuestra cabeza, de nuestro cerebro. Nos pertenecen y por tanto podemos cambiar lo que pasa en su interior. Quizás no siempre. Quizás no de un modo perfecto. Pero lo suficiente para hacer que nuestra vida sea mucho mejor.

Sea como fuere, no hay que dejarse llevar. La cólera puede detenerse.

Paso 2. *Comprométase a hacer un gran esfuerzo de manera continua para contener la cólera.*

Uno tiene que prepararse para un gran esfuerzo. Controlarse para no explotar no es una empresa fácil. En primer lugar, hay que dejar de lado las propias defensas y ser totalmente honesto consigo mismo. Eso significa:

- No seguir negando las cosas. No hay que decir: «¡Ay, no sé de qué están hablando! Yo no tengo un problema con la cólera». Es mejor decir: «Sí, tengo un gran problema en mi vida. Se llama cólera. Lo admito. Lo acepto. Y voy a hacer algo al respecto ahora mismo».

- No seguir minimizando las cosas. No hay que decir: «Bueno, quizás tenga un problemilla con la cólera, pero eso no lo puedo controlar». Es mejor decir: «¡Un problemilla, qué burro! Es un gran problema. La cólera está destrozando mi vida. Estoy haciendo daño a mis hijos. Mi cólera lo está destruyendo todo».

- No querer racionalizar o justificar más. No hay que decir: «Sí, me encolerizo, pero no es culpa mía. Mi padre me pegaba cuando yo era pequeño». Es mejor decir: «Es cierto, mi padre me pegaba. Pero eso fue hace muchos años. Ahora tengo que ser responsable de mis actos. No voy a culpar al pasado de lo que ocurre en el presente nunca más».

- No más excusas de impotencia o desesperanza. No hay que decir: «No puedo pararlo, ¿por qué voy a intentarlo?». Es mejor decir: «No sé hasta qué punto puedo controlar estos ataques de cólera, pero voy a intentarlo. Mi objetivo es detener todos y cada uno de ellos».

- No más evasivas. No hay que decir: «Sé que tendría que trabajar en ello, pero no estoy preparado. Quizás el año que viene». Es mejor decir: «Ahora es el momento de empezar a esforzarme por detener estos ataques. No puedo permitirme el lujo de fastidiarlo otra vez».

En segundo lugar, conviene saber tanto como sea posible sobre cómo, por qué, dónde y con quién se encoleriza uno. Hay que llegar a ser un investigador que analiza las pautas de la propia cólera. Después, una vez se sabe todo lo concerniente a las pautas de los propios ataques de cólera, será necesario concebir y practicar un conjunto personalizado de habilidades encaminadas a detener estos ataques.

¿Qué vendrá después? Pues poner en práctica el conocimiento adquirido. Esto significa detener los ataques de cólera incluso antes de que empiecen, siempre que sea posible (prevención), o si uno no puede detenerlos totalmente, al menos aminorarlos y hacerlos menos dañinos (contención).

No espere la perfección. La cólera no puede detenerse chasqueando los dedos o a golpe de varita mágica. Pero cabe esperar resultados progresivos. Es razonable creer que se irá mejorando cada vez más en la tarea de contener la cólera, empezando desde ahora mismo, desde la lectura de este libro. Sin embargo, hay que comprometerse en firme, seguir prestando atención al problema de modo constante, día tras día, semana tras semana.

Paso 3. *Tómese el tiempo necesario para detectar las pautas de nuestra cólera repentina.*

El objetivo es conocer todo lo que se pueda sobre nuestra cólera. El siguiente grupo de preguntas servirá de ayuda para identificar esas pautas. Por favor, tómese el tiempo necesario para pensar cada pregunta. Escriba las respuestas en una hoja de papel aparte.

Éste es el momento de describir un ataque concreto de cólera repentina que hayamos sufrido. Este ejercicio está pensado para ayudar al lector a reunir información sobre cómo se encoleriza para que pueda librarse de ello.

1. ¿Cuánto hace que ocurrió el episodio?

2. ¿Sucedió en un momento de fuerte estrés o en una situación que pueda ayudar a explicar lo que ocurrió?

3. ¿Estaba usted bebiendo o tomando drogas justo antes del ataque de cólera (o en un período de deshabituación tras una fuerte intoxicación)? Si es así, ¿cómo cree que ello le afectó?

4. ¿Quién se vio envuelto en el episodio de cólera?

5. ¿Qué desencadenó el ataque cólera, quizás algo que dijo o hizo alguien?

6. ¿Qué recuerda usted de lo sucedido durante ese ataque de cólera al día siguiente (todo, algo o absolutamente nada)? Si recuerda algo, ¿qué es lo que recuerda?

7. Durante el ataque, ¿qué dijo usted? ¿Qué pensó? ¿Qué sintió? ¿Qué hizo?

8. ¿Cómo acabó ese episodio?

9. ¿En qué medida intentó usted mantener el control antes o durante el ataque de cólera? ¿Qué hizo para mantener el control? ¿Surtió efecto?

10. ¿Diría que durante el ataque perdió totalmente el control, sólo lo perdió parcialmente, mantuvo el control en gran medida o lo conservó plenamente? ¿Diría que tuvo un ataque de cólera incipiente, un ataque parcial o un ataque total? ¿Por qué?

11. ¿Qué sucedió después del ataque (por ejemplo, usted durmió durante horas, lo detuvieron o le abandonó su mujer)? Describa lo que ocurrió.

12. ¿Con qué frecuencia experimenta usted ataques de cólera?

13. ¿Está tomando alguna medicación que le ayude a controlar sus enfados, sus emociones o sus ataques de cólera? ¿Le sirven de ayuda?

14. ¿Qué más hace para prevenir o controlar esos ataques?

15. ¿Qué otra cosa indicaría usted para describir y entender mejor los ataques de cólera?

Paso 4. *Examine sus episodios próximos a la cólera para saber cómo previene usted en ocasiones un ataque de cólera repentina.*

Tonya, una interna de veinte años, me contó hace poco un episodio de cólera incipiente. Tonya había estado discutiendo con Mike, otro interno, sobre las tareas de cada uno. Tonya insistía en que le tocaba a Mike fregar los platos. Mike lo negaba. Tonya sintió que la cólera le iba creciendo, cada vez más. Notó que le subía la adrenalina. *Quería* explotar. Tonya se sintió como si estuviera clavando un cuchillo a Mike en el pecho y se fuera riendo a la cárcel. Pero entonces, justo en ese momento, frenó su cólera por completo. Salió de la cocina y se fue a su habitación a calmarse.

Al principio, Tonya dijo que no sabía cómo lo había hecho. Pero luego, después de pensarlo un poco, dijo: «Me dije a mí misma que no valía la pena. Mike era un idiota. Siempre sería un idiota. Así que ¿por qué intentar cambiarle? No iba a cambiar. Además, yo no soy la jefa de Mike. Que el personal bregue con él. Les pagan para que breguen con idiotas». Evidentemente, el personal del centro le había dicho a Tonya esas mismas palabras cientos de veces. Pero ella no las había oído. No quería oírlas. Tonya quería tener el control. Pero ahora estaba escuchándose a sí misma, no al personal del centro. Y le gustó lo que se dijo a sí misma. De modo que escuchó. Así fue cómo evitó tener un ataque de cólera.

Un ataque de *cólera incipiente* es un episodio en el que se está muy cerca de tener un ataque de cólera repentina e incontrolada, pero que uno es capaz de detener. Posiblemente, todo aquél que se encoleriza tiene varios episodios de cólera incipiente por cada ataque de cólera total e incontrolado. De lo contrario, lo más probable es que a esa persona la encierren en una celda o le apliquen una fuerte medicación para tranquilizarla y reducirla a un estado vegetativo. Los ataques de cólera son sencillamente demasiado peligrosos para que la sociedad pueda tolerarlos.

Eso significa que aunque uno sea una persona colérica, sabe cómo mitigar un ataque. ¿Cuál es entonces el secreto? ¿Cómo evitar esos ataques de cólera la mayoría de las veces?

¿Qué cree usted que le mantiene alejado de esos arranques? Al igual que Tonya, se dice a sí mismo: «No vale la pena». ¿Se dice para sus adentros que debe calmarse? Si no es así, ¿qué se dice a sí mismo que le ayude?

¿Qué hace físicamente cuando le amenaza un ataque de cólera? ¿Se va? ¿Se sienta? ¿Respira hondo varias veces? ¿Qué otras cosas hace?

¿Qué hace usted con el enojo mientras mantiene a raya la cólera? ¿Lo fomenta? ¿Lo ignora? ¿Intenta ser asertivo pero no agresivo? ¿Pretende tan sólo que se le pase? ¿Percibe otras emociones? ¿Qué más hace con la cólera?

¿Tiene alguna estrategia de tipo espiritual que le ayude a no montar en cólera? ¿Reza? ¿Se lo confía a Dios? ¿Hace meditación? ¿Va a la iglesia? ¿Qué más hace?

¿Pide inmediatamente ayuda a familiares, amigos, profesionales o compañeros de viaje? Quizás llama a un amigo: «Joe, ¿tienes un minuto? Tengo que hablar contigo de inmediato». Tal vez uno tenga un consejero en el que confía especialmente, alguien a quien puede ver o avisar cuando está a punto de encolerizarse. Quizás ya pertenece a un grupo de autoayuda, como el de Alcohólicos Anónimos, con el que puede reunirse y hablar con otras personas que también intentan contener sus ataques de cólera.

Aprendamos todo lo que podamos sobre el modo de detener los ataques de cólera repentina incluso antes de que empiecen. Después de todo, nadie se conoce tanto como uno mismo. ¿Quién le conoce mejor?

Paso 5. *Examine sus episodios de cólera incipiente para aprender a mantener cierto control incluso durante un ataque de cólera repentina.*

Lucy es la madre de Jerry y Jed, gemelos de doce años de edad. El otro día fue la policía a su casa en busca de ellos, acusándolos de vender marihuana a sus compañeros de clase. Lucy ya sabía que Jerry y Jed fumaban hierba. No le hacía gracia, pero no fue capaz de detenerlos. Sin embargo, lo que no sabía es que traficaban con la droga.

Las cosas iban bien hasta que apareció una joven asistenta social llamada Michelle. La asistenta intentó sacar a los gemelos de casa y llevarlos a un albergue. Entonces fue cuando Lucy explotó. Insultó a Michelle. Gritó a los niños que corrieran a esconderse. Amenazó a Michelle y a la policía. Empezó a tener un ataque de cólera como los que había sufrido a menudo en el pasado. Pero después, por alguna razón, de algún modo, Lucy recuperó el control. Siguió insultando, pero dejó de gritar. Siguió discutiendo en voz alta, pero ya no dijo a los chicos que huyeran. Básicamente, Lucy, en vez de empezar a luchar a brazo partido, optó por sólo enseñar los dientes. El resultado fue que Lucy sufrió sólo un ataque de cólera parcial.

¿Cómo lo hizo? Lucy dice que se dio cuenta de que tenía que detenerse por el bien de los gemelos. «Iba a empeorar las cosas. Lo vi claramente. Además, supe que no podría ayudarlos estando en la cárcel o en un centro de salud mental. De modo que me detuve. No fue fácil, créanme, pero lo hice».

Un ataque de *cólera parcial* es un episodio en el que una persona empieza a encolerizarse, pero conserva el control sobre lo que está ocurriendo. La pregunta clave para saber si se ha tenido alguna vez un ataque de cólera parcial es: «¿Qué pensé para mis adentros, qué dije o qué hice para mantener el control al menos parcialmente?». Se trata de una pregunta muy importante. Conocer la respuesta puede servir literalmente para evitar que hiera gravemente o incluso mate a alguien en el futuro.

Por ello, una vez más, hay que plantearse las siguientes preguntas. Durante esos ataques de cólera parcial, ¿qué cree usted que evita que pierda totalmente el control una vez ha comenzado el ataque? ¿Qué hace físicamente para contener la cólera? ¿Sigue alguna estrategia espiritual que le permita mantener el control de la cólera? ¿Recibe ayuda inmediata de familiares, amigos, profesionales o compañeros? ¿Hay algo en lo que alguien pueda ayudarle durante un ataque de cólera parcial? ¿Es mejor que le dejen solo?

Paso 6. *Trace un plan de seguridad para aminorar el riesgo de sufrir ataques de cólera repentina. Dicho plan puede incluir un sistema de apoyo, aprendizaje de técnicas de control de la cólera y posiblemente una medicación adecuada.*

Crear un sistema de apoyo. «Venga, Benny, vámonos de aquí.»

La escena: tres individuos sentados a la barra de una taberna, cerca de la medianoche. Dos de ellos intercambian insultos. *Los actores:* Benny, un tipo que se irrita fácilmente y se pone colérico cuando bebe; Darren, su mejor amigo, quien ha visto a Benny enloquecer muchas veces; y un hombre a todas luces borracho que no conoce a ninguno de los otros dos, pero que está listo para entrar en gresca. *La música:* resuena de fondo cada vez más y más mientras crece la tensión. *El resultado:* Darren convence a Benny de que se vayan de la taberna mientras éste aún se controla, antes de empezar a encolerizarse.

El resultado es todo menos espectacular: Benny y Darren no serán invitados a ningún programa de *reality show* de la televisión, pero a cambio evitarán que un borracho loco acabe en el hospital o en la morgue y Benny en la cárcel.

Amigos. Familiares. Cónyuges o parejas. Sacerdotes, reverendos o rabinos. Compañeros del grupo de autoayuda. Consejeros. Médicos. Todas esas personas son absolutamente necesarias si uno desea dejar atrás la cólera. No lo intentemos solos, pues no funciona. ¿Por qué? Pues porque cuando uno está a punto de tener un ataque de cólera, suele decirse a sí mismo estupideces como éstas: ¡«Miradlos! ¡Van a por mí! ¡Voy a matar a ese hijo de su madre! ¡Se lo merece! ¡Nadie tiene que decirme nada! ¡No puedo vivir sin ella! ¡Me menosprecia! ¡Le odio! ¡No estoy borracho! ¡Es la hora de la venganza!». No son ideas de una persona que está en su sano juicio. Son palabras de quien está metiéndose él mismo en un ataque de cólera.

Quien empieza a generar un ataque de cólera necesita a alguien que le calme, que le aleje del peligro y que le diga que se tranquilice. Así que conviene rodearse de un sistema de apoyo y, sobre todo, utilizarlo.

Aprender técnicas de control de la cólera. Puede preguntarse, ¿de qué sirve aprender técnicas de control de la cólera? ¿Qué me aportará de bueno si me descontrolo tanto que ni puedo pensar? ¿Acaso no es la medicación lo único que puede ayudarme? La respuesta, a mi juicio, es que se deben aprender tantas técnicas como se pueda. Los métodos de control de la cólera ofrecen motivaciones, además de habilidades específicas. Nos ayudan a estar más motivados a la hora de controlar esos ataques y nos enseñan el modo de hacerlo. Aprender a controlar la cólera puede ayudar a cambiar los pensamientos negativos y a establecer una base para ejercer ese control. Una vez se ha adquirido esa práctica, se puede llegar a prevenir por completo al menos algunos ataques de cólera y a aminorar la intensidad de otros. Tampoco se puede contraponer el aprendizaje de métodos de control de la cólera a la medicación, pues no tienen por qué ser incompatibles. Es posible aprender métodos de control de la cólera y a la vez tomar medicamentos.

Hay cuatro vías principales que se pueden recorrer para cambiar y controlar mejor su cólera.

1. Cambiar de hábitos.
2. Cambiar de pensamientos.
3. Cambiar la respuesta al estrés.
4. Cambiar de actitud.

En primer lugar, cambiar de hábitos. Para Benny, esto significa alejarse de los bares, pues ahí es donde le sobrevienen sus ataques de cólera. Evitar los lugares problemáticos es lo que deben hacer la mayoría de los coléricos. Tomarse un tiempo de descanso es otra vía muy importante para cambiar de comportamiento. Un descanso permite aplicar las cuatro reglas: *reconocer* que uno está volviéndose peligrosamente loco, *frenarse* antes de decir o hacer cualquier estupidez, *relajarse* mientras se espera que la cólera remita y después *volver* sobre la situación que le preocupa para abordarla de un modo razonable (Potter-Efron, 2001).

Una confrontación seria es otra manera clásica de controlar la cólera. Se trata de comprometerse a manejar los conflictos sin despotricar, insultar, pelear, amenazar y cosas por el estilo. Hay que sentarse, escuchar realmente a la otra persona y buscar soluciones positivas en vez de exigir a los demás que hagan las cosas a nuestro modo.

Cambiar de pensamientos. Wally, un médico de cuarenta y cinco años de edad, es un conductor colérico. Una vez se puso tan rabioso con otro conductor que le siguió durante ocho kilómetros, haciendo sonar el claxon todo el tiempo y amenazándole con el puño. ¿Qué había hecho el otro conductor? Había adelantado a Wally justo en el momento en que ambos entraban en un tramo en que estaba prohibido. Wally se puso furioso. Pensó: «¡No puede hacer eso! ¡Va contra la ley! ¡No voy a dejar que se vaya así!». Y salió tras él, convirtiéndose, como él dijo, en un «guardia de tráfico».

Gran parte de lo que se llama «cólera al volante» es tan sólo un enfado. La gente se enoja, hace un gesto grosero y sigue su camino. Pero Wally se encolerizaba de verdad. Se volvía tan loco que no podía pensar. Estaba más que dispuesto a entablar una pelea, a convertir la calzada en un campo de batalla. Por fortuna, el otro conductor no contestó a la agresión con otra agresión. Finalmente, Wally entró en razón y se fue.

Wally se esforzó por entablar lo que se denomina una *controversia* a fin de acabar con su «cólera al volante». Analicemos las fases del proceso:

A = El antecedente. Es lo que hace que uno monte en cólera.

B = Las convicciones negativas que se tienen y que incrementan la cólera que produce la situación.

C = Las consecuencias de la cólera. Lo que se hace cuando se está colérico.

D = La controversia. Nuevos pensamientos que aminoran la cólera y sustituyen a las convicciones del punto B.

E = El efecto de los nuevos pensamientos. Esto significa normalmente dejar atrás la cólera o imaginar algo útil que hacer con ella.

Wally entabló del modo siguiente una controversia con su antigua manera de pensar:

A: El conductor le adelantó justo cuando llegaban a una señal de prohibición de adelantar. Yo llamo a esto una *provocación de la cólera*. Por lo general, Wally cae en esta provocación de muy buena gana.

B: La principal convicción de Wally que potencia su cólera en situaciones de este tipo era que todo aquel que conduce mal es un idiota que debe ser castigado. Es más, creía que tenía la obligación de ser el castigador («el guardia del tráfico»).

C: En este punto Wally empezó a perseguir al otro conductor.

D: La controversia es la parte más importante de este proceso. Hay que asumir un nuevo pensamiento que sustituya al antiguo. Además, el nuevo pensamiento debe complacer, tiene que ayudar a serenarse. Éste fue el nuevo pensamiento de Wally: «¡Eh, yo no soy el policía destinado a vigilar el tráfico. Soy médico, no guardia. Ésa no es mi tarea».

E: Cuando le sucede algo así, Wally se repite ese nuevo pensamiento y se relaja. Está más cómodo consigo mismo y se siente mejor en la carretera. Sobre todo, manteniéndose apartado de la cólera podría salvar la vida de alguien, incluida la suya.

Cambiar la respuesta al estrés. Wally, al igual que otras personas proclives a la cólera, sufre una reacción física muy fuerte ante una situación estresante, por muy ligera que ésta sea. Cuando el otro conductor le cortó el camino, inmediatamente tuvo una reacción agresiva: se le disparó la adrenalina; el corazón le empezó a latir con fuerza; la respiración se le aceleró; su capacidad de razonamiento se vino abajo como si su cerebro se hubiera bloqueado. Sin embargo, Wally habría podido detener esa reacción. Habría necesitado darse cuenta de lo que estaba haciendo, respirar lenta y profundamente unas cuantas veces, decirse a sí mismo que el asunto no tenía importancia y relajarse. Obviamente, es mucho más fácil decirlo que hacerlo en el momento de la verdad. Pero si Wally hubiera trabajado en ello, habría aprendido a relajarse en vez de entrar en estado de alerta activa.

Aprender a relajarse es un factor clave a la hora de cambiar la respuesta al estrés. Este tipo de aprendizaje adopta muchas formas: la típica relajación muscular profunda, la meditación, el yoga, los ejercicios de respiración, etc. Pero para conseguirlo hay que practicar asiduamente. No basta con hacer unas cuantas respiraciones profundas de vez en cuando.

Creo que aprender a relajarse es útil tanto para prevenir la cólera como para contenerla. La prevención significa no ponerse colérico de buenas a primeras. Practicar la relajación regularmente ayuda a empezar el día con mejor talante. Sirve para tener un mayor control sobre el cuerpo. De ese modo, cuando sucede algo enojoso, uno sabe qué hacer. Puede hacer caso omiso de las provocaciones a la cólera con tan sólo un par de respiraciones profundas.

La relajación ayuda también a contener la cólera. Uno contiene la cólera cuando se enfada, pero no cuando enloquece. Aunque cae en la provocación a la cólera, no sufre un ataque. No monta en cólera: permanece enojado un tiempo y después se olvida del enfado.

Cambiar la respuesta al estrés es a la vez un proceso físico y mental. La relajación permite reflexionar. La reflexión ayuda a resolver los problemas. La resolución de los problemas ayuda a mantenerse alejado de la cólera.

Cambiar de actitud. Enseñar a controlar la cólera es algo más que enseñar un conjunto de actitudes. Implica también ayudar a la gente a examinar su vida a fondo. ¿Es feliz? ¿Está satisfecho? ¿Está en paz consigo mismo? ¿Se siente a gusto con su lugar en el mundo? ¿O se siente infeliz, deprimido, pesimista, hostil, angustiado y descorazonado? Las personas coléricas, como bien se puede imaginar, tienden a sentirse de este último modo. En muchos casos son personas muy infelices. Han perdido la esperanza en todo y en todos.

Puede que usted, lector, sea una persona colérica. Si es así, tómese por favor un tiempo para examinar su vida en profundidad. Pero no lo haga si pretende utilizarlo para culpar a cualquiera de sus problemas. No se trata de eso, sino de examinar qué es lo que usted hace para que su vida sea buena o mala, feliz o infeliz, positiva o negativa.

- ¿Se fija antes el lado bueno de las personas que en el lado malo?

- ¿Se responsabiliza de su propia vida en vez de esperar que otros lo hagan por usted?

- ¿Atiende a los demás y los alaba en vez de ser crítico e insensible con ellos?

- ¿Considera que tiene un propósito en la vida o siente que va a la deriva?

- ¿Se siente cercano a su familia, a sus amigos y a la sociedad, o se siente aislado y marginado?

- ¿Tiene usted una vida espiritual en la que se sienta conectado con una fuerza superior?

Actos, pensamientos, sentimientos y espíritu. Éstas son las cosas que se necesita cambiar si realmente desea superar la cólera.

Tomar la medicación adecuada. Muchas personas que sufren ataques de cólera son reacias a tomar medicación. Tienen muchas razones para ser reacias. En primer lugar, prefieren controlar su vida sin tener que tomar pastillas. Puede que tengan miedo a sufrir efectos secundarios. Quizás crean que el problema que tienen con la cólera no es tan importante. Otra posibilidad es que para dejar de tener ataques de cólera deban dejar de tomar alcohol o drogas y no quieren hacer ese sacrificio. Puede que los ataques de cólera les compensen tanto que realmente no deseen detenerlos. O puede que tomar fármacos vaya en contra de su religión. Pero la razón más común es que crean que no necesitan tomar medicamentos.

Veamos los argumentos contrarios. Si no se supera la cólera, se puede llegar a matar a alguien. Puede matarse a sí mismo. Amarga la vida a todo el mundo. Es como un arma que puede dispararse en cualquier momento. Si no hace todo lo posible por controlar los ataques de cólera, hace daño a sus hijos. Finalmente, si no toma ninguna medicación, puede acabar perdiendo la pareja, la familia, el trabajo, la salud, la vida.

En el capítulo 2 se ha hablado de que es posible que el cerebro de los coléricos sufra alguna especie de imperfección. Si el lector es reacio a tomar una medicación, hará bien en releer atentamente ese capítulo. Dicho de un modo más directo: si el cerebro no siempre le funciona correctamente, ¿cómo puede una persona tratar de controlar sus ataques de cólera?

Medicamentos. Técnicas de control de la cólera. Un buen sistema de apoyo. Ésos son los ingredientes que permitirán que un programa para acabar con la cólera sea efectivo.

Paso 7. *Abordar los temas fundamentales para cambiar definitivamente la percepción que se tiene de uno mismo y del mundo. El objetivo es sentirse seguro entre los demás, a gusto consigo mismo, y gozar de un buen estado de salud física y mental.*

Muchas personas coléricas viven con una enorme sensación de inseguridad. Para ellas, el mundo es un lugar terrible y peligroso. Las otras personas son temibles; las relaciones personales, frágiles. No se puede confiar en nadie. Pero no sólo el mundo exterior es inestable e incierto, sino también el universo interior. «Me siento muy vacío. Débil. Inseguro. Incapaz. Confundido. Indefenso. Despreciable.» Gran parte de las personas coléricas, si no todas, son personas inseguras en lo más profundo de su ser.

Eso también debe cambiar. Esas personas necesitan hacer frente a sus demonios personales. Esos demonios pueden ser: abandono, malos tratos o abusos sexuales, críticas y acusaciones excesivas, accidentes traumáticos o períodos de gran postración. Trabajar estos temas significa hablar de ellos con los amigos, aquéllos en los que uno confía. Puede significar también realizar una terapia. Hay personas que sólo necesitan leer y reflexionar, pasar un tiempo a solas repasando las historias que tienen en la cabeza. A menudo, las exploraciones religiosas o espirituales también ayudan. Pero sobre todo, los coléricos necesitan tiempo para llegar a ser amigos de ellos mismos. Ésa es la única manera de que sus mundos lleguen a ser mundos más seguros.

Por supuesto, sentirse seguro personalmente no es tan sólo un proceso mental. Las personas necesitan vivir en un mundo seguro y real para sentirse seguras. No cabe esperar que los supervivientes del huracán Katrina que quedaron retenidos en el Superdome de Nueva Orleans pasando sed y hambre y oyendo disparos, se sintieran seguros. Se trata de tener en la vida seguridad exterior e interior.

Si se es una persona colérica, hay que trazar un plan completo. ¿Qué desea hacer exactamente con su propia vida? ¿Cómo puede sentirse mejor consigo mismo? ¿Cómo puede conseguir que su mundo sea más seguro, interior y exteriormente? Debe establecer unos cuantos objetivos positivos. Trazar un plan para conseguirlos. Hacer que su vida mejore, sólo así se verá menos tentado de caer en la cólera.

4

La cólera retenida, vengativa y destructiva

La cólera de Samuel

Samuel es un albañil de veinticinco años de edad que empezó a acumular rabia hace tres años, mientras cumplía una pena de cárcel por una serie de atracos a mano armada. Ésta es su historia:

> Estaba preso y había empezado un tratamiento de cura tras un largo período de total intoxicación. Me afectaba mucho, pues me sentía tremendamente irritable y no controlaba las situaciones. En ese momento mi novia me escribió una carta en la que me contaba que había estado saliendo con mi mejor amigo y que ahora estaba viviendo en casa de él. Al principio lo acepté. Tenía que pasar tres años en la cárcel, ¿cómo iba a seguir con ella? Pero estuve leyendo esa carta una y otra vez y en mi interior empezó a crecer la cólera. Estaba confinado en una celda y eso echaba más leña al fuego. Me sentía furioso, quería destruirlo todo, me pasaba el tiempo pensando en ellos dos y me volvía loco. Acabé peleándome con mi compañero de celda sólo porque estaba conmigo y yo tenía que desahogarme a costa de alguien. Pero eso no me ayudó. Llevaba esa cólera encima desde hacía mucho tiempo. A veces se desvanece durante un período, pero sólo porque ha pasado mucho tiempo. Después vuelve a aparecer con más

fuerza que antes. A veces doy marcha atrás y procuro intencionadamente que me vuelva la cólera para seguir enloqueciéndome y volviéndome agresivo. Me paso horas pensando en la venganza, ideando maneras de hacerles daño. Intento mantenerme alejado de esos pensamientos, pero no puedo. Lo único que deseo cuando salga de aquí es hacerles sufrir tanto como ellos me han hecho sufrir a mí.

No es la primera vez que Samuel ha experimentado este tipo de cólera. En realidad, ha llegado a desarrollar el hábito de encolerizarse. «Suelo acudir a resentimientos pasados para poder vengarme en el futuro. Sé que no es sano para mí pensar en esos ajustes de cuentas, porque finalmente me hacen daño a mí y a la otra persona. El único consejo que puedo dar a alguien que tenga una cólera retenida como la mía es que busque ayuda, porque la cólera no hace más que empeorar.»

En qué difiere la cólera retenida de la cólera repentina

De la mayoría de las personas de las que se ha hablado hasta ahora en este libro se diría que sus ataques de cólera se producen con rapidez y casi sin previo aviso: son casos de cólera repentina. Pero existe otro tipo de experiencia que también se denomina cólera, pero que se desarrolla de manera diferente. Los problemas fundamentales que generan la cólera –supervivencia, impotencia, vergüenza y abandono– están ahí, pero las amenazas se forman de modo más lento y duradero. Esta experiencia se denomina cólera retenida.

La cólera repentina suele ser la respuesta a una frustración inmediata. No ocurre así con la cólera retenida, que es normalmente una respuesta a insultos o daños sufridos en el pasado. La cólera retenida se desarrolla más lentamente, en respuesta a lo que uno considera una situación tremendamente injusta. Este tipo de cólera es como un fuego interior que arde de manera inconsciente durante años hasta que finalmente sale a la superficie.

Así pues, la cólera surge básicamente de dos formas. Por una parte, hay una cólera que se desarrolla de modo repentino y furibundo, como un tornado que surge de la nada, destruye todo lo que encuentra a su paso y después desaparece tan rápidamente como ha venido. Así es la cólera repentina. Sin duda, los ataques de cólera repentina son tan comunes como alarmantes y llaman la atención por su visibilidad inmediata y su potencial destructivo. No se puede pasar por alto un ataque de cólera repentina. Pero hay otro modo importante de experimentar la cólera: cuando la tormenta se desarrolla lentamente, por lo general con muchas señales de advertencia, pero sin que a pesar de todo se pueda detener. Si las cóleras repentinas son como tornados imprevistos, las cóleras retenidas son como los tan predecibles monzones que año tras año se ciernen sobre Asia.

¿Qué es la cólera retenida?

La cólera retenida es una rabia generada a lo largo de mucho tiempo contra una persona concreta o contra un grupo de individuos. Este tipo de cólera incluye entre otros los siguientes elementos: un sentimiento victimista, pensamientos obsesivos sobre la situación, indignación moral y odio hacia quienes nos han ofendido, fantasías de venganza y (a veces) ataques deliberadamente planificados contra los supuestos culpables.

Samuel está acumulando su cólera. No puede dejar de pensar en la ofensa sufrida. Sigue dándole vueltas en la cabeza aunque intente pensar en alguna otra cosa. Es más, su cólera crece con el tiempo. Alberga sentimientos de venganza contra quien le ha herido, en este caso contra su novia y el que antes era su mejor amigo. A medida que crece su cólera, se transforma en un odio más y más profundo. Cree además que ha sido traicionado por aquéllos en quienes confiaba y siente indignación moral o ultraje. La indignación moral es un componente especialmente peligroso de la cólera retenida. Hace que Samuel se sienta una víctima inocente y que su antigua novia sea un monstruo, un demonio, una persona malvada que debe ser aniquilada. Samuel, al igual que la mayoría de las personas que sienten este tipo de cólera, no puede perdonar a quienes le han ofendido. Las personas que sienten esa cólera casi siempre experimentan un sentimiento muy fuerte de que la persona o personas que los han ofendido son moralmente malas, monstruosas, malvadas.

Dicho sea de paso, ¿cree el lector que Samuel contará sus ideas de venganza al tribunal encargado de concederle la libertad condicional? Por supuesto que no, porque sabe que se metería en un gran problema y que tal vez lo retendrían en prisión indefinidamente. Es muy común que las personas que sufren este tipo de cólera escondan a los demás sus ansias de venganza. Esto hace que sea difícil descubrir la cólera, pues gran parte de la furia permanece oculta. Sin embargo, es importante detectarla, pues están en juego muchas cosas. Muy a menudo, las defensas de estas personas se vienen finalmente abajo, liberando años de furia retenida. En ese momento la persona se vuelve extremadamente peligrosa, sobre todo si ha elaborado un plan de venganza detallado.

Venganza personal y cólera destructiva

La cólera de Samuel se dirige contra dos personas, su ex novia y su antiguo mejor amigo. Cree que le han traicionado. No puede dejar de pensar en ellos. Desea vengarse. Esas personas se han convertido en sus enemigos mortales. No descansará hasta que no les devuelva el daño que le han causado.

La cólera retenida más común es la que tiene Samuel. Se trata de una *venganza personal* en la que uno jura guerra eterna contra un enemigo mortal al que se responsabiliza de las penas que sufre. En la literatura puede que el mejor ejemplo lo hallemos en la venganza del capitán Ahab, que en la famosa novela *Moby-Dick*, de Herman Melville, muere intentando matar a su némesis personal, la ballena blanca. En un tono más ligero, el capitán Garfio del cuento de Peter Pan también tiene una némesis personal: el cocodrilo con un reloj despertador en la panza.

Sin embargo, existe otro tipo de cólera retenida que en los últimos años ha llegado a ser especialmente alarmante. Esos ataques de cólera suceden cuando alguien ataca a instituciones y también a individuos. Hace algunos años, ese tipo de cóleras se denominaban «going postal» (del inglés «to go postal», perder la cabeza), a raíz de unos cuantos incidentes en los que unos trabajadores de correos destruyeron sus lugares de trabajo. Pero más recientemente los atacantes han sido adolescentes y las instituciones atacadas, sus escuelas.

Este tipo de cólera se denomina *destructiva,* una cólera retenida que se dirige de modo real o imaginario contra una institución particular –una escuela, una empresa o un organismo oficial– que la persona que sufre esa cólera considera responsable de los daños que ha sufrido.

Algunas de las investigaciones que se han hecho de esos ataques devastadores ayudan a ver las diferencias entre el enfado y la cólera. Katherine Newman (2004) observa que los jóvenes que cometen actos destructivos no suelen ser los niños o adolescentes a los que se expulsa a menudo de clase y tienen problemas con la ley. Por el contrario, se trata de jóvenes que suelen ser ajenos al grupo (o al menos así se consideran ellos mismos), chicos que no se llevan bien con los demás, que se sitúan al margen de la vida escolar. Newman dice que estos estudiantes no acostumbran a llamar la atención de los profesores, tutores o directores del centro. De hecho, nadie percibe que lentamente van acumulando rencores, no sólo hacia una o más personas, sino hacia toda la escuela. Odian a los demás estudiantes porque los marginan, a los profesores porque no les hacen caso y a los directores porque tienen poder sobre ellos. Finalmente, su odio los sobrepasa y atacan al «sistema», aparecen típicamente un buen día y empiezan a disparar al azar contra estudiantes y profesores.

¿Acumula usted rencor y cólera?

La cólera retenida es siempre peligrosa, ya se dirija contra objetivos concretos o contra grupos más amplios. A fin de determinar si la cólera retenida es o puede llegar a ser un problema para usted, responda a las siguientes preguntas:

- ¿Es incapaz de dejar de pensar en insultos o agravios pasados?

- ¿Le parece que a veces esa cólera que se alimenta de agravios pasados aumenta con el tiempo en vez de aminorar o aplacarse?

- ¿Fantasea a veces con la idea de vengarse de aquellas personas que le han herido?

- ¿Odia a alguien por lo que le ha hecho?

- ¿Se sorprendería la gente si supiera lo enfadado que se siente, aunque usted no lo revele?

- ¿Se siente indignado ante lo que algunos tratan de conseguir impunemente?

- ¿Le resulta difícil perdonar a otros?

- ¿Le consume la cólera pero no dice nada a nadie?

- ¿Daña usted adrede (física o verbalmente) a otros para que paguen por algo que le han hecho?

- ¿Cree que alguien en particular (o un grupo, una organización o una institución) tiene la culpa de que usted sea infeliz?

- ¿Le dicen que ya es hora de seguir adelante y dejar de pensar en tiempos pasados?

Si se ve usted a sí mismo como una persona que acumula cólera, el resto de este capítulo está pensado para usted.

Prevención de la cólera retenida

Hay seis pasos principales que se pueden seguir para impedir que la cólera retenida domine nuestra vida.

Paso 1. *Ser consciente de que siempre se puede elegir.*

Max, Vinny y Charles fueron amigos durante mucho tiempo y compañeros de clase. Después de licenciarse en la universidad, montaron juntos un negocio, el restaurante Three Brothers Organic Foods. El nombre del restaurante lo decía todo, pues eran como hermanos, se querían y confiaban unos en otros. Pero después Charles empezó a frecuentar salas de juego. Al principio sólo hacía de vez en cuando una escapada al casino, con unos amigos. Después, empezó a ir tres veces a la semana, y finalmente a diario. Comenzó a acumular pérdidas. Charles se gastó todo el dinero que tenía y también el que tomó prestado. Más tarde se jugó el dinero de la empresa. Cuando Max y Vinny descubrieron el problema, ya no pudieron salvar el restaurante. Charles fue acusado de malversación de fondos, pero en vez de ir a la cárcel, su abogado consiguió concertar un acuerdo y estuvo treinta días en un centro de tratamiento y un año en uno de reinserción. Logró dejar el juego y rehacer su vida. Se hizo miembro de una organización de autoayuda, llamada Ludópatas Anónimos.

Charles ha seguido los pasos de su programa de reinserción y autoayuda. Ha conseguido encontrar su lugar en la vida y quiere resarcir a Max y a Vinny del daño que les causó. Incluso ha ideado un plan para devolverles varios miles de dólares para restituirles en parte las pérdidas que han sufrido por su culpa. Por eso ha tratado de ponerse en contacto con sus antiguos socios para concertar una cita. Y aquí es donde entran en escena Max y Vinny: cada uno de ellos tiene la posibilidad de decidir su respuesta a Charles.

Esto es lo que le dijo Max: «Sí, Charles, me reuniré contigo. He pensado a menudo en ti. Aún me duele lo que hiciste, claro, pero también sé que eres una buena persona. Vamos a olvidarlo». En el último año y medio, Max ha creado una nueva empresa. Dirige una cooperativa de alimentos ecológicos y tiene la esperanza de abrir un nuevo restaurante dentro de un par de años. Dice que no va a dejar que Charles le arruine la vida: «Ya ha pasado, ya no hay vuelta de hoja. Si siguiera revolcándome en lo que hizo Charles, me hundiría en la miseria».

Vinny respondió de manera totalmente diferente: «Charles, nunca olvidaré lo que me hiciste. Me traicionaste y engañaste. Arruinaste mi vida y siempre te odiaré. Cada día pienso en lo que me hiciste. Nunca podrás devolverme todo, así que no te molestes en intentarlo. Y no voy a reunirme contigo. Si vienes, te mandaré a paseo».

La cólera retenida es una herida purulenta. Cuanto más ahondas en ella, más sangra. Cuanto más dura, más daño hace. Finalmente, una cólera retenida que no se cura deja cicatrices en el alma, al igual que una herida no curada deja una cicatriz en el cuerpo.

Así es Vinny. Está furioso, pero no experimenta un tipo de cólera repentina, sino lenta, muy lenta. Se despierta por la noche pensando apenado en la pérdida del restaurante. Está lleno de odio contra Charles, lo nota perfectamente. Vinny fantasea con la idea de pegar a Charles o incluso matarle. Tampoco quiere olvidar, echar tierra sobre aquella terrible experiencia. Es como si Vinny prefiriera ser una victima que no quiere dejar de sufrir en vez de seguir adelante con su vida. Su cólera es una herida que no se curará. ¿Cuál es el resultado? Mientras que Max ha dejado atrás el pasado, Vinny se ha quedado atrapado en él. Desde la desaparición del restaurante no ha conseguido ningún trabajo decente y cuenta sin parar, a cualquiera que esté dispuesto a oírle, cómo Charles le arruinó la vida. La mayor parte del tiempo, Vinny se siente desesperanzado, enfadado y deprimido. Y aquí viene lo más terrible: desde que Charles le llamó, Vinny está aún más furioso. «¿Qué derecho tiene Charles a andar por el barrio como un hombre libre después de lo que hizo? No hay derecho. No es justo. Alguien debería hacer algo.» Últimamente, Vinny ha empezado a ir con el coche por donde cree que vive Charles.

Está empezando a pensar en la idea de llamarle cada mañana, de molestarle, de reventarle las ruedas del coche... ¿Quién sabe lo que Vinny puede llegar a hacer en semejante estado de cólera?

Si Vinny se diera cuenta de que tiene una oportunidad, no se pasaría las horas hurgándose la herida, sino que dejaría de escarbar en ella, pero en vez de ello se mantiene en su postura de víctima. A diferencia de Max, que lo está haciendo bien porque sigue adelante con su vida, Vinny está amargado, pues ha permitido que la cólera controle su vida. Usted también puede elegir si es proclive a acumular cólera. ¿Desea ser como Max o como Vinny?

Paso 2. *Para impedir que se desarrolle la cólera es preciso optar por la paz mental y no por el rencor.*

La cólera retenida siempre necesita tiempo para desarrollarse. Pensemos en los granos que pasan a través del cuello de un reloj de arena. Pensemos que la parte superior del reloj representa la paz mental que disfrutan las personas cuando están libres de resentimientos. Los sentimientos que generalmente se asocian a ese estado son calma, serenidad, felicidad o satisfacción. Imaginemos que la parte inferior del reloj representa exactamente lo contrario: descontento, infelicidad, sufrimiento y autocompasión, es decir, donde albergamos la cólera retenida. Cada grano de arena que pasa es un grano de frustración, de conflictos no resueltos, de indignación moral o de humillación que sentimos. Algunos de esos granos son las ofensas sufridas hace mucho tiempo, otros son ofensas más inmediatas. La cantidad de granos va aumentando gradualmente, quizás durante semanas, meses o incluso años. Sin embargo, al cabo de un tiempo el montón es muy grande. Cuanto más se llena el reloj, peor se siente uno. Y si se deja que esos granos de animadversión pasen a la parte inferior, al final la cólera explota.

No sigamos mirando absortos cómo se acumula la cólera. ¡Hagamos algo! Demos la vuelta al reloj. En vez de representar problemas, ahora esos granos de arena representarán conflictos resueltos, soluciones positivas de los continuos problemas de la vida y sentimientos de satisfacción. Con cada grano de arena que caiga aumentará la paz mental y disminuirá la posibilidad de que la cólera estalle.

Esta analogía del reloj de arena me hace pensar en algo en lo que creo profundamente: la vida siempre va a mejor o a peor. La cólera retenida sólo se desarrolla cuando uno deja que la vida vaya a peor durante mucho tiempo.

Dar la vuelta al reloj de arena es un acto revolucionario. Es algo que nos ayuda a sentirnos mejor con nosotros mismos y con el mundo. Los siguientes tres pasos ayudarán a cambiar la manera de pensar y actuar, de modo que se pueda llegar a una mayor satisfacción.

Paso 3. *Examinar los pensamientos y comportamientos actuales a fin de determinar si se está desarrollando o cayendo en un resentimiento duradero susceptible de producir una cólera retenida.*

Las cóleras retenidas se desarrollan cuando las personas no dejan atrás los resentimientos. Puede que alguien haya sido descortés con nosotros o haya olvidado llamarnos. Podemos pensar: «Bueno, así es la vida. No hay que darle más vueltas». Y ahí se acaba la historia. Por el contrario, podemos considerarlo una ofensa y ahondar en ella. «¿Cómo han podido hacerme eso? ¿Quiénes se creen que son?» Y después podemos comenzar a buscar más cosas que refuerzan ese rencor. Por supuesto que es necesario algo más que un poco de resentimiento para desarrollar una cólera retenida y es cierto que no todo aquel que está resentido deviene un colérico. La diferencia está en que los que cargan con la cólera retenida son aquellos que permiten que las ofensas crezcan y crezcan en su interior hasta hacerse insoportables. Piensan y vuelven a pensar en cómo los han atacado o traicionado. Se centran en las injusticias de la vida. La cólera les bulle por dentro. Y si finalmente llegan a un estado en que se hace insoportable, explotan.

Por tanto, una manera de prevenir esa cólera es la de detenerse antes de generar resentimientos. Para ello es preciso llevar a cabo una especie de autoexamen mental.

Pensemos en el presente, en el día de hoy. ¿Está ocurriendo algo en este momento que pueda convertirse en resentimiento? Una riña con su pareja, un conflicto en el trabajo, una discusión con los padres, con los parientes, con los hijos, un problema físico que no desaparece, una pelea con un amigo. Los acontecimientos políticos actuales, problemas económicos, el estado del universo. Todas estas cosas y muchas más son las que pueden alimentar resentimientos.

Pongamos un ejemplo. Morgan y Jenny, compañeras de piso, tienen una discusión sobre quién debe pagar la factura de la televisión por cable. Morgan contrató el servicio sin consultar con Jenny, aunque Morgan pensó que estarían de acuerdo en ello y que sería estupendo tenerlo. Morgan dice que Jenny tiene que pagar la mitad. Jenny dice que como ella no pidió el servicio y no lo necesita (aunque disfruta de él), no le toca pagar nada. Entonces llega la factura por correo. Justo en ese momento, Morgan ha de reflexionar sobre sus opciones. Por un lado, puede dar vueltas y más vueltas al tema y hacer de ello una gran bola de nieve, pero entonces acabará siendo el grano de arena que se añade al montón del descontento del reloj de arena, dando pie a una cólera retenida hacia Jenny. Este tipo de cosas puede hacer que durante el tiempo que sigan compartiendo el piso se convierta en un infierno. Por otro lado, Morgan puede restar importancia a la desavenencia en torno a esa factura y no dejar que le impida conciliar el sueño.

El momento propicio para impedir que la cólera siga acumulándose siempre es *ahora*. Cuanto antes, mejor: antes de que el sentimiento de tener la vida arruinada se instale en la mente, antes de que la cólera creciente acabe con la alegría de la vida. Así que, cada día conviene dedicar un tiempo a preguntarse uno mismo: «¿He dejado que hoy creciera en mi interior algún pequeño resentimiento?». Si es así, es mejor intentar deshacerse de él ahora que todavía es pequeño. Será mucho más fácil hacerlo en este momento y no después, cuando empiece a crecer y crecer.

¿Qué hacer cuando se descubre a sí mismo generando un resentimiento? Con frecuencia lo mejor es ir directamente a la persona con la que estamos resentidos y hacerle partícipe de nuestras preocupaciones. Hay que intentar arreglarlo. Quizás se trate tan sólo de un malentendido que puede solucionarse. O puede que existan auténticas divergencias, pero una discusión respetuosa deshará el resentimiento antes de que crezca.

No obstante, antes de ir en busca de la otra persona, debe tratar de descubrir qué es lo que le hace encolerizarse o preocuparse. Podría ser que se estuviera molestando sin motivo alguno. Además, conviene aplicar la técnica de la controversia que se describe a continuación, ya que puede ayudarnos a ver la situación de un modo diferente.

Paso 4. *Utilizar la técnica de la controversia para enfrentarse a cualquier resentimiento que pueda desencadenar una cólera retenida.*

Ésta es una manera de detectar el inicio de un resentimiento. Pero después, ¿cómo se puede acabar con él? Una manera es utilizar la técnica de la controversia A-B-C-D-E descrita en el capítulo 3. Para resumirla, el objetivo en cada situación consiste en sustituir un pensamiento negativo que incrementa la cólera por uno positivo que la reduce. Imaginemos por ejemplo cuánto mejor se sentiría Vinny si sustituyera su planteamiento («Charles ha destruido mi vida. No puedo soportarlo») por el de Max («No voy a dejar que Charles arruine mi vida»). Si pudiera hacerlo, no se vería atrapado en su sentimiento de cólera e incapacitado para seguir adelante con su vida.

Casi siempre se puede encontrar una manera menos colérica de ver las cosas. La cólera tiene lugar cuando uno hace la peor interpretación de lo que dicen o hacen los demás. Por ello conviene repasar lo que se ha dicho sobre las controversias en el capítulo 3 para tratar de ver las cosas de una manera diferente.

Paso 5. *Practicar la empatía para aminorar el sentimiento de cólera.*

El sentimiento de indignación moral es el que aviva la mayoría de las cóleras retenidas. La gente que nos ha hecho daño nos puede parecer malvada, pecadora e infame. La empatía es el antídoto contra la indignación moral. La empatía significa ponerse uno mismo en el lugar del otro y entender así cómo piensa y se siente. Sin embargo, no consiste en disculpar al otro, pues las personas tienen que responsabilizarse de su comportamiento, por mucho que las entandamos y sintamos como ellas. La práctica de la empatía nos aleja del mundo de «yo soy bueno y tú eres malo» y nos introduce en el mundo de «esto es asunto de todos». Vinny tendría más empatía hacia Charles si aprendiera algo de las adicciones, en general, y de la ludopatía en particular. Podría hacerlo preguntándole algunas cosas. ¿Cómo cayó Charles en el juego? ¿Por qué no podía dejarlo? ¿Qué pensaba y qué sentía a medida que iba cayendo más y más en ese agujero? ¿Cómo se encuentra ahora?

Básicamente, existen dos tipos de empatía. La primera trata de entender la manera de pensar del otro. Yo la llamo *empatía cognitiva.* La idea es pensar en lo que alguien hizo y que no nos gustó, algo que pueda haber generado o aumentado un resentimiento. Después hay que intentar ponerse en el lugar de la otra persona. Si uno fuera esa persona, ¿qué pensaría en ese momento? ¿Qué es lo más importante para esa persona? ¿Cuáles son sus valores, qué quiere o qué necesita en la vida? El segundo tipo de empatía es la *empatía emocional.* ¿Qué sentía esa persona en el momento en que ocurrió el problema? ¿Estaba atemorizada? ¿Enfadada? ¿Avergonzada? ¿Triste?

He aquí un ejemplo de alguien que utilizó la empatía para deshacerse de un resentimiento incipiente. Se llama Sandy, y tiene una hijastra, Bets, de trece años de edad. Sandy se sintió contrariado al ver que Bets apenas le hablaba durante los primeros meses de su matrimonio con su madre, Brianna. De hecho, se encerraba en su dormitorio cuando él llegaba del trabajo. Estaba claro que Bets le evitaba y en cambio, hablaba abierta y animadamente con su madre. Sandy se sentía irritado y herido. Para colmo, el comportamiento de su hijastra le recordaba la época en que sentía que sus padres prestaban más atención a su hermano que a él. Sandy estaba empezando a sentir una cólera retenida. Finalmente, habló de ello con Brianna. Ella le pidió que se pusiera en el lugar de Bets. Le recordó que el padre natural de Bets despreciaba e ignoraba a Sandy y presionaba a la chica para que no tuviera ningún trato con él. Le hizo ver que Bets se encontraba en medio de los dos. «¿Cómo te sentirías si fueras Bets?», le preguntó Brianna. Entonces Sandy se dio cuenta de que Bets quizás tuviera miedo de perder a su padre. Es más, vio que presionar a la chica para que fuera amable con él sería aún peor. Sandy decidió dejar que Bets tuviera su propio espacio y no enfadarse cuando la chica le diera la espalda. Por el contrario, esperó pacientemente hasta que, unos meses más tarde, ella empezó poco a poco a quedarse cuando él estaba presente.

Cuando se está resentido, es muy útil ponerse en el lugar de la otra persona. A menudo se da cuenta entonces de que el otro no pretende arruinarle la vida. En vez de ello, la otra persona también intenta hacer lo que le parece correcto en ese momento. Puede que tomara una decisión distinta, pero uno no es esa persona. Básicamente, la empatía ayuda a ser menos propenso a cobijar el tipo de resentimiento que conduce a la cólera retenida.

Paso 6. *Plantearse cuatro opciones para hacer frente al resentimiento y al odio.*

¿Qué sucede si no se acaba con el resentimiento? Pues sucede que ese resentimiento va cogiendo fuerza, como una tormenta tropical en un mar cálido llega a convertirse en un huracán. Al final se acaba sintiendo un odio profundo hacia la otra persona. El odio es el resultado de dejar que el resentimiento crezca, cuando no puede o no quiere desembarazarse de él. De algún modo, el resentimiento es como una cólera endurecida o congelada. Una vez llega a ese estado, permanece ahí como una roca. Cuando se odia a una persona, lo único en que se piensa es en lo horrible que es. Esa persona deviene un monstruo. Y cuando se odia a alguien se es más propenso a encolerizarse. Vinny, por ejemplo, ha llegado a odiar tanto a Charles que está más que dispuesto a atacarle.

El odio es el combustible de la cólera retenida. Por ello, si se es una persona colérica, hay que encontrar el modo de deshacerse del odio.

¿Cómo deshacerse del odio? Pienso que hay cuatro maneras de hacerlo: la distracción, la indiferencia emocional, el perdón y la reconciliación. La distracción es una cosa sencilla de conseguir, aunque sencillo no significa fácil. Ninguna de estas cuatro maneras de deshacerse del odio es fácil: el odio es como el invitado que viene a cenar y luego no quiere irse.

La *distracción* significa hacer todo lo posible por seguir adelante con su vida. Para Max eso significa buscarse un nuevo trabajo, pero permaneciendo dentro del campo que a él le gusta: los alimentos de cultivo ecológico. Cuando la gente dice que intenta distraerse para no pensar en cosas terribles, está practicando esta técnica. En este caso el objetivo no consiste en pretender resolver algún problema o volver a relacionarse con la persona a la que se odia, sino que se trata simplemente de mantener la mente tan alejada como sea posible de esa obsesión. O, como se suele decir con frecuencia en las reuniones de Alcohólicos Anónimos: «No dejes que nadie gobierne tu cabeza». La cuestión está en volver a divertirse. Verá que lo está haciendo bien cuando se dé cuenta de que piensa mucho menos de lo que solía hacer en la persona a la que odia.

La *indiferencia emocional* significa llegar a un punto en que se pueda pensar en alguien que nos haya ofendido mucho sin experimentar sentimientos desagradables profundos. Esa persona, al igual que el daño que nos causó, ha quedado relegada al pasado. Sí, nos hizo daño en el pasado, pero ahora esto es historia. No tiene sentido seguir sufriendo por lo que ocurrió, pues los hechos del pasado no se pueden cambiar, pero sí dejarse atrás. Si Vinny pudiera al menos pensar en Charles y hacerlo sin sentir de inmediato una tormenta emocional, conseguiría alcanzar un estado de indiferencia.

Sabremos que hemos logrado establecer una indiferencia emocional con respecto a alguien a quien hemos odiado cuando podamos pensar en esa persona sin sentir un nudo en el estómago, sin que se nos acelere el pulso o se nos altere la voz. Llegaremos a la conclusión de que esa persona es quien es, y que es ella y no nosotros quien tendrá que vivir su vida.

Las dos vías siguientes, el perdón y la reconciliación, son bastante más difíciles de seguir que la de la indiferencia o la de la distracción. Sin embargo, a largo plazo son más beneficiosos. Además comportan un gran regalo: el sentimiento de que la vida realmente puede mejorar.

Posiblemente la mejor definición del *perdón* que he encontrado es la del psicoanalista Robert Karen (2001): «El perdón es permitir que alguien vuelva a nuestro corazón». Lo que Karen quiere decir es que el perdón es un acto de compasión hacia aquel que nos ha herido. No estamos obligados a perdonar (aunque algunos teólogos no están de acuerdo con esta afirmación, pues creen que Dios quiere y espera que perdonemos) e insistir en que perdonemos es añadir una presión adicional. Sin embargo, el perdón puede ser una experiencia de alto poder curativo. Es un proceso de transformación, pues cuando uno perdona se convierte en una persona diferente.

Hay un truco para llegar al perdón: se trata de tener la voluntad de dejar de creer que el que ofende es absolutamente malo y que nosotros somos totalmente buenos. Es fácil escribir esta idea en un papel, pero la realidad es diferente. Hay que optar deliberadamente por recordar las cosas buenas que ha hecho la otra persona, además de las malas. Cuando, por ejemplo, Max dedica algún momento a pensar en el restaurante Three Brothers, recuerda que Charles fue quien planteó a los otros dos la idea de realizar aquel negocio. «Si Charles no hubiera tomado la iniciativa, probablemente nunca me habría dado cuenta de lo mucho que me encanta la comida ecológica. Le estoy agradecido por ello.» Por supuesto que Max reconoce la parte mala de Charles. No es un ingenuo. Pero sabe equilibrar la parte mala con la buena, y permite que Charles vuelva a su corazón.

Uno puede percibir que ha iniciado el proceso del perdón cuando oiga a los demás hablar de las cualidades positivas de la persona que le ha hecho daño y lo haga sin sobresaltarse y empezar a hablar de sus defectos o sus carencias. Se habrá avanzado mucho cuando pueda unirse a la conversación con actitud positiva.

Por último, la *reconciliación* es la última vía para dejar atrás el odio. Reconciliarse significa volver a conectar con la persona que nos ha herido, escribirle, hablarle o reunirse cara a cara con esa persona. Vinny, claro está, cree que eso es imposible, que nunca más volverá a confiar en Charles. Max, por otro lado, podría volver a trabajar con Charles nuevamente si supiera que éste ha superado realmente su problema con el juego.

La reconciliación exige confianza. Uno tiene que preguntarse a sí mismo por qué la relación con el otro será diferente esta vez. ¿Está demostrado que el que nos ha ofendido ha cambiado de verdad? Si es así, ¿será duradero ese cambio? Una auténtica reconciliación requiere mucho tiempo. La persona que ha ofendido tiene que probar básicamente (en la medida que pueda probar su honradez) que se va a comportar de manera respetuosa. Mientras que el perdón es algo que se hace interiormente, la reconciliación implica que dos o más personas restablezcan una relación.

No se está preparado para la reconciliación hasta que no se está convencido de que aquel que nos ha ofendido ha cambiado lo suficiente como para no herirnos o traicionarnos. Además, lo más probable es que sólo quiera reconciliarse con alguien cuando vea que lo bueno en esa persona supera con creces su actual comportamiento reprobable, inmaduro o irresponsable.

¿Necesita usted liberarse de su odio hacia alguien? ¿Le ayudaría esto para dejar de acumular rencores y resentimientos? Si es así, hágase estas preguntas:

1. ¿Qué nuevos pensamientos me ayudarían a sentir menos odio o menos cólera hacia la o las personas que me han hecho daño?

2. ¿En qué pensaba la o las personas que me hicieron daño en el momento de hacérmelo? ¿Había otros motivos aparte de herirme sin más?

3. ¿Qué camino debo seguir para acabar con el odio que siento? ¿Distracción, indiferencia, perdón o reconciliación?

La cólera retenida acaba con la posibilidad de disfrutar de la vida. Por fortuna, es posible deshacerse de los viejos sentimientos de haber sido herido. Ése puede que sea el único camino para sentirse bien con uno mismo, con los demás y con el mundo.

5

La cólera de supervivencia

Terry: un joven que lucha por su vida

Terry tiene dieciséis años de edad y es el mediano de tres hermanos. Su padre es un tipo miserable que disfruta pegando a sus hijos cada vez que se le antoja, pero es especialmente duro con Ferry, porque ve en él unos modos que considera un signo de debilidad. Le dice que le pega para que se haga más fuerte. Terry no le cree en absoluto, pues sabe que su padre utiliza cualquier excusa para atacarle. El muchacho se defiende estando en casa lo menos posible.

Terry puede soportar que su padre le pegue a menudo. Soporta incluso lo que su padre le llama una «azotaina a la antigua» con la hebilla del cinturón. Pero esa noche su padre está raro. Ha estado murmurando todo el día para sus adentros y se ha bebido casi una caja entera de cerveza. Entra en la habitación de Terry tambaleándose y poniendo una cara terrible, con una mirada que significa que va a pegar a Terry hasta que no pueda volver a levantar el brazo para seguir pegando. Terry está atrapado en su dormitorio, no tiene escapatoria. Entonces el chico reacciona. Arremete contra su padre gritando: «¡No, no, no, no, no!». Le pega en el pecho y lo estampa contra la pared. Oye como su padre le grita, le injuria y amenaza con matarle. Y entonces Terry se queda en blanco. Cuando se da cuenta de lo que sucede tiene encima a sus dos hermanos, su madre y a dos vecinos sujetándole. Después ve a su padre inconsciente en el suelo, un amasijo sanguinoliento y quebrado. «¿Qué ha pasado?», pregunta. George, su hermano pequeño, le cuenta que no ha dejado de pegar a su padre mientras gritaba «¡no!» todo el rato. Cuando George entró, Terry había tirado a su padre al suelo, pero su padre se había levantado y se había enfrentado a él de nuevo. Terry volvió a pegar a su padre y a tirarlo al suelo. Le golpeó en las costillas varias veces y después en la cara. En ese momento el padre perdió el conocimiento, pero Terry siguió golpeándole y gritando «¡no!». Su madre ya había llamado a los vecinos en busca de ayuda porque sus dos hermanos no podían detenerle. «Estabas como un loco, Terry. No parabas de gritar y de golpear. No podíamos separarte de tu padre. Creímos que ibas a matarle.»

Diez años después

Terry tiene ahora veintiséis años. Desde ese primer ataque de cólera con su padre ha tenido varios más. Lo que le preocupa es que le suceden con más frecuencia y a la menor provocación. Terry describe así su último ataque: «Me sucedió hace un par de semanas. Estaba en una fiesta con unos amigos. Sólo llevaba un par de cervezas encima. No estaba borracho, ni siquiera achispado. Noté que un tipo llamado Joey me estaba mirando. Me miraba de un modo raro, como si me estuviera midiendo para una pelea. Me daba miedo, pero a la vez me sentía provocado. Sentía frío y calor, una cosa después de la otra, miedo y valor, frío y calor. Bueno, no iba a esperar a que empezara él, de modo que avancé hacia él y le abordé. La siguiente cosa que recuerdo es que la gente me empujaba. Había perdido la noción durante unos cinco minutos. Me echaron de la fiesta. Mis amigos me dijeron que estuve insultando y chillando que no iba a dejarme enmerdar por nadie. Me dijeron que amenacé de muerte al chico. Me dijeron que por mi mirada supieron que quería matarle».

Terry no sabe qué le sucedió. Dice que sintió una gran inquietud, una especie de ansiedad. «Es como si siempre hubiera alguien dispuesto a atacarme. Tengo que estar a la defensiva. Me siento como un soldado de guardia defendiendo su territorio. No se sabe nunca cuándo alguien va a empezar a disparar.» Terry se queja de que no puede confiar en nadie. Se siente solo e inseguro en un mundo constantemente amenazante. No puede librarse del sentimiento de estar en peligro inminente. «Lo curioso

–añade Terry– es que no estoy en peligro en absoluto. Mi padre no me ha tocado desde aquel día en mi dormitorio. No se atrevería. Y vivo en un barrio muy seguro. Mi novia es dulce y amable. Me ve estallar y no entiende por qué me pongo así. Yo tampoco lo entiendo. ¿Qué me sucede?»

¿En qué se parece usted a Terry?

¿Le son familiares las dos escenas anteriores?

- ¿Se ha enzarzado alguna vez una pelea en la que haya parecido tener una fuerza incontenible?

- ¿Ha tenido un ataque de cólera en el que haya dicho o hecho cosas que después no ha recordado?

- ¿Ha amenazado con herir o matar a alguien con quien se ha enfadado, incluso a familiares o seres queridos?

- En una discusión, aunque sólo se tratara de unas cuantas palabras, ¿ha sentido que tuviera que luchar a vida o muerte?

- ¿Se ha vuelto alguna vez paranoico pensando erróneamente que la gente iba por usted?

- ¿Ha tenido alguna reacción agresiva en la que se ha sentido a la vez muy furioso y muy atemorizado?

- ¿Se asusta mucho y con facilidad cuando, por ejemplo, alguien le toca el hombro por detrás?

Si contesta «Sí, esto me sucede o me ha sucedido» a estas preguntas, es probable que usted sufra una cólera de supervivencia. La llamada cólera de supervivencia es un sentimiento de cólera profunda desencadenada por una sensación de amenaza real o imaginaria para la integridad física de una persona.

La cólera de supervivencia es un arma primitiva, básica para la existencia humana. El mensaje de esta cólera es muy simple: «Me estás amenazando. Podrías matarme. Tengo que matarte yo primero». La mayoría de las personas que experimentan este tipo de cólera han sufrido amenazas de muerte en un momento dado de su vida, quizás cuando eran pequeños y débiles, durante la infancia; tal vez en una pandilla de adolescentes; o puede que en tiempos de guerra, siendo jóvenes soldados; en un accidente de trabajo o de automóvil; o tal vez en el transcurso de una relación violenta o de maltrato sexual. Si uno sufre este tipo de cólera, significa que le ha ocurrido alguna vez o con frecuencia algo terrible; la cólera de supervivencia es una respuesta a un peligro al que se ha visto enfrentado. Desgraciadamente, esta manera de reaccionar no guarda relación con su propósito original: esa cólera no corresponde a un peligro real y el individuo lucha por su vida cuando nadie está intentando arrebatársela.

En este capítulo se describe cómo se desarrolla la cólera de supervivencia. Pero antes de seguir adelante, hay algo importante que es preciso saber si se sufre este tipo de cólera. Cuando se han experimentado malos tratos es muy fácil caer en el papel de víctima. Uno puede decir: «¡Oye!, no es culpa mía si a veces actúo así. Después de todo, mi padre (o mi madre o cualquier otra persona) me maltrató. Él (o ella o quien sea) arruinó mi vida. No puedo controlarme. Es así, soy así». De ese modo, en vez de proponerse el intento de controlar la cólera, se ponen excusas. «No puedo evitarlo. No puedo controlarme. No puedo cambiarlo. No es culpa mía.» Sí, no es culpa suya que se haya sentido amenazado de muerte. Nadie desarrolla por voluntad propia esos ataques de cólera de supervivencia. Pero puede detenerlos, puede controlarlos, puede cambiar, puede aprender a superar la cólera. Si no, ¿qué sentido tendría leer este libro?

No estoy diciendo que sea fácil evitar los ataques de cólera, especialmente los de la cólera de supervivencia. Nada de eso. Pero es totalmente posible hacerlo. Para abandonar la cólera es necesario echar mano de todas las herramientas del capítulo 3 para controlar la cólera repentina, además de estudiar las pautas que se describen a continuación para acabar con la cólera de supervivencia.

La opción es simple. ¿Qué desea que suceda? ¿Desea tomar las riendas de su propia vida o dejar que la cólera de supervivencia sea la protagonista?

Pero, ¿cómo tomar el control? El primer paso consiste en entender por qué y cómo tiene lugar un determinado comportamiento. El siguiente apartado trata de las causas probables para que alguien desarrolle ataques de cólera de supervivencia.

El terror y el trauma: las raíces de la cólera de supervivencia

Terry pregunta: «¿Qué me sucede?». De hecho hay una respuesta posible: «Terry, puede que tu cerebro se haya resultado dañado debido a los malos tratos que recibiste de niño». Algunos científicos, en particular uno llamado Joseph LeDoux (1996, 2002), han descrito desde finales de los años noventa cómo el terror y los traumas afectan al cerebro de los seres humanos. A continuación, un breve resumen de sus descubrimientos:

- Las emociones tienen una importancia extrema en nuestra existencia como seres humanos. Nos proporcionan una información muy importante que nos ayuda a sobrevivir. Nuestras emociones nos dicen cosas de este tipo: «Presta atención a esto, es muy importante». «Cuidado, ahí hay peligro.» «No olvides eso o morirás.» Y también, afortunadamente: «Eso es maravilloso. Sigamos así».

- El cerebro ha desarrollado unas vías específicas para manejar cada emoción. Esas vías son como senderos que cruzan diversas zonas del cerebro. Muchos de esos senderos son como las calles de una ciudad de tráfico lento. Pero algunos de ellos, los que más usamos, son autopistas por las que se puede circular muy deprisa.

- Imaginemos que vemos o sentimos algo por el rabillo del ojo que puede resultar peligroso, quizás una sombra en la pared o una persona que avanza hacia nosotros. Nuestro cerebro empieza instantáneamente a trabajar para que el cuerpo se disponga a luchar o a huir, si es necesario, pero no es el momento de reflexionar pausadamente. Si uno se encuentra en peligro, lo mejor es moverse de inmediato. Por ello el cerebro ha desarrollado un sistema que nos advierte y prepara casi al instante. En apenas un cuarto de segundo, los mensajeros empiezan a correr rápidamente por el cerebro hasta llegar a un órgano en forma de almendra que se llama amígdala. La amígdala es el centro de alerta emocional y su misión es advertir al cuerpo y al cerebro: «¡Peligro, peligro, peligro!». En el mismo instante en que la amígdala lanza este aviso, nos detenemos para descubrir dónde está el peligro. Mientras, la amígdala ordena a la glándula adrenal que empiece a bombear cortisol, la hormona del estrés, en el cuerpo de manera que el individuo pueda luchar por su vida en caso de que esa sombra imprecisa que entreví sea un enemigo.

- Pero, ¡alto! ¿Qué pasa si no es un enemigo? ¿Qué pasa si tan sólo se trata del amigable tío Joe que viene a decir hola? No vamos a dispararle primero y preguntarle después, ¿verdad? Por ello nuestro cerebro tiene una segunda vía que recorre partes más sofisticadas del cerebro, en las que las cosas pueden verse en perspectiva. Ese sistema permite pensar: «Un momento. Es el tío Joe. No me voy a asustar». Sin embargo, lleva un poco más de tiempo, al menos un par de segundos, para que la amígdala reciba este mensaje.

- Existe otra parte del cerebro que es muy importante que citemos. Se trata del órgano llamado hipocampo, situado justo a la derecha de la amígdala. El hipocampo ayuda a que las personas recuerden los sucesos emocionales del pasado y sitúen las cosas en perspectiva. Lo que es más importante, envía a la glándula adrenal la señal de que deje de bombear cortisol si no hay un auténtico peligro.

- Normalmente, hay un delicado equilibrio entre el aviso de la amígdala para que la glándula adrenal libere cortisol y el aviso del hipocampo para que se detenga. Imaginemos que tenemos dos personas dentro de la cabeza, una junto a otra, una angustiada y la otra tranquila, quizás demasiado confiada. La amígdala es la angustiada. Siempre está diciendo: «¡Cuidado! ¡Peligro! ¡Corre! ¡Huye! ¡Lucha!». Mientras que el hipocampo dice: «¡Oh, no, no! Calma. Todo está bien. No hay peligro». El resultado general es muy saludable: cuando existe un peligro real, la amígdala permanece en estado de alerta para ayudar a sobrevivir, pero cuando el peligro resulta una falsa alarma (como sucede en la mayoría de los casos), el hipotálamo se hace cargo de la situación y pone fin a la crisis.

- Ahora viene la parte mala: cuando se ha sufrido una amenaza grave, el trauma puede destruir ese frágil equilibrio entre la excitación y la calma. Una manera en que esto sucede es que en los momentos de grave peligro, la glándula adrenal libera tanto cortisol que el hipocampo puede resultar gravemente dañado. Debido a ello, el hipocampo ya no puede seguir el ritmo de la amígdala cuando ordena a la glándula adrenal que produzca más cortisol. Es como si la amígdala gritara «¡más cortisol!», mientras que el hipocampo tan sólo pudiera murmurar «menos, por favor». El hipocampo se vuelve gradualmente más pequeño y menos efectivo, reduciéndose a veces hasta un sexto de su tamaño normal.

- Todo esto viene a significar que personas como Terry llegan a vivir en un estado de permanente agitación. Sus cerebros suelen tergiversar las cosas y ven un peligro en cada rincón y cada resquicio de su existencia. La más pequeña sombra puede ser un enemigo. Una invitación a cenar puede ser una trampa, un palo puede ser en realidad una serpiente. El cerebro dañado y traumatizado de Terry le proporciona una imagen muy distorsionada del mundo. Su estado emocional siempre es de cautela atemorizada. Terry no puede descansar, no puede relajarse. Su cerebro, al igual que el de muchas personas traumatizadas, se ha reestructurado para ayudarle a sobrevivir en un mundo que no deja de amenazarle.

De la huida a la lucha

La cautela permanente de Terry le lleva a un estado que los científicos llaman de *agresión defensiva*. El mensaje es: «Estoy en peligro. Tengo que luchar». Debemos recordar que Terry se enfrentó al desconocido de la fiesta porque pensó que le había mirado «de manera extraña». Estas declaraciones son muy comunes en las personas que tienen un trauma cerebral y están hipersensibilizados hacia el peligro. Evidentemente, no había prueba alguna de que el tipo de la fiesta le estuviera incitando a la pelea. Sin embargo, Terry tuvo la plena certeza de que era así y tomó la iniciativa atacando a su nuevo enemigo.

La agresión defensiva es, al igual que el miedo, una reacción ante la amenaza. En vez de escapar, la persona amenazada se enfrenta al atacante, a menudo con la esperanza de atemorizarle, o al menos de dar el primer golpe. Terry renuncia a huir y opta por luchar cuando el miedo da paso a la cólera. Se siente más seguro y más fuerte montando en cólera que sintiendo miedo. Intentará mostrar su cólera y no su miedo, acercándose al otro, desafiándole, levantándole la voz y amenazándole. A veces eso funciona, el otro se retira, pero a veces ese comportamiento desencadena la cólera del otro y su agresión defensiva, lo que da lugar a inútiles peloteras, empujones o cosas mucho peores.

Falsas alarmas, pérdida del sentido de la realidad y ataques de cólera de supervivencia

¿Nos parece que Terry está un tanto paranoico? Lo está, quizás no lo suficiente para que un psiquiatra piense que necesita medicación, pero sí lo bastante para causarle problemas. Terry tergiversa la realidad constantemente. Para ser más concretos, ve peligro donde no lo hay, incluso amenazas para su vida donde no las hay.

Ahí reside el problema. El cerebro de Terry, concebido para la supervivencia, está programado para buscar continuamente indicios de problemas. Si hay alguna pequeña señal de peligro (un individuo, por ejemplo, que le está mirando), la exagera y la deforma de modo que aparenta ser mucho peor de lo que es. Si no hay ninguna señal, el cerebro de Terry simplemente la genera. Su cerebro no deja de enviarle falsas alarmas.

Desafortunadamente, Terry no mejora. De hecho, su estado empeora con el tiempo. Eso es debido a que cada una de esas falsas alarmas provoca la secreción de más cortisol, más adrenalina, más de todo lo que el cuerpo utiliza para enfrentarse al peligro. Todos esos compuestos químicos desgastan la amígdala y el hipocampo y deterioran el sistema por completo. Es como si Terry estuviera deslizándose por un tobogán que le aleja cada vez más del sano juicio.

¿Adónde conduce todo esto? Terry es cada vez más irracional. No puede discernir entre un peligro real y un peligro imaginario. Reacciona exageradamente a lo que percibe como amenazas. Cada vez que actúa así, pierde más el control sobre sus reacciones físicas y emocionales. Terry va directo al mundo de la cólera. Probablemente, empieza a tener *falsas cóleras de supervivencia*. Una persona colérica vive esos falsos ataques de cólera de supervivencia como auténticos. La única diferencia es ésta: durante una cólera de supervivencia real existe un peligro mortal auténtico, mientras que en una cólera de supervivencia falsa no existe ningún peligro real.

Los ataques de cólera de supervivencia como reacción agresiva-defensiva

La cólera y el miedo son emociones que están íntimamente asociadas. Por ejemplo, ambas pasan por la amígdala cerebral. Necesitan estar estrechamente conectadas en el cerebro porque la persona necesita decidir

94

con rapidez si debe quedarse quieto o escapar ante un peligro inminente. Se trata de la consabida opción entre luchar o huir. Sin embargo, las personas como Terry parecen tener una reacción *tanto* de lucha *como* de huida cuando se encolerizan.

Imaginemos que formamos parte de un grupo de soldados enviado a explorar la zona enemiga. Sabemos que en cualquier momento podemos encontrarnos con un reducido número de soldados enemigos. En cambio, nos topamos con un grupo mayor del que pensábamos. El enemigo nos supera en número con creces. ¿Qué hacer, entonces? Hay que disparar y huir a la vez. Ésa es la única manera de sobrevivir. ¿Qué se siente en ese momento? Cólera y miedo a la vez. La cólera ayuda a disparar al enemigo. El miedo ayuda a escapar de él.

Pienso que la cólera de supervivencia suele estar motivada por una mezcla de miedo y cólera (muy potentes). La combinación de estas dos emociones es lo que impide el razonamiento. Realmente, cuando alguien está encolerizado, todo el mundo percibe la cólera. Pero conviene recordar el mensaje básico: «Tengo que matarte antes de que tú me mates». Es muy diferentes de: «Quiero matarte para conseguir lo que deseo» o «Quiero matarte para que te apartes de mi camino». El miedo a la muerte es lo que preside el ataque.

¿Por qué es eso tan importante? Porque significa que Terry, o quien esté intentando controlar este tipo de cólera, debe enfrentarse tanto al miedo como a la cólera. Significa que sentir seguridad es la clave para controlar la cólera. De modo que no estamos hablando ahora de controlar la cólera, sino de ayudar a las personas a cambiar el modo de relacionarse con el mundo.

Pero ahí está el dilema. La gente traumatizada ve peligros en todas partes, en cualquier sitio, en todo el mundo. No hay un lugar seguro. Nadie es seguro. Y lo más importante: a menudo ve peligros donde no los hay. Así pues, ¿cómo puede Terry (y quizás también el lector) dejar de tener ataques de cólera de supervivencia? La respuesta, obviamente, es que tiene que reeducar su cerebro, tiene que convencerse de que vive en un mundo suficientemente seguro, que puede dejar de disparar y de correr. Obsérvese que hemos dicho «suficientemente seguro», no totalmente seguro. Ninguno de nosotros vive en un mundo totalmente seguro. Un mundo suficientemente seguro es aquél en el que uno no siente un peligro inmediato para su vida y su bienestar. Un mundo suficientemente seguro es aquél, en el que uno cree que la mayoría de la gente, en especial la más cercana, está de su lado y quiere protegerle, no hacerle daño.

Detener la cólera de supervivencia

A continuación, se describen cuatro pasos que conviene dar para detener los ataques de cólera de supervivencia.

Paso 1. *Aprender a medir el grado de peligro real que existe en cada momento.*

Siempre queremos creer que nuestro cerebro nos facilita una información absolutamente fiel y exacta del mundo que nos rodea. Pero ¿y si eso no es cierto? ¿Y si el cerebro nos aporta sistemáticamente una información falsa, exagerada o distorsionada? En este supuesto, ¿no querríamos hacer cosas totalmente diferentes? Bien, pues ésa es la situación de personas como Terry, que sufren frecuentes ataques de cólera de supervivencia. Su cerebro les dice que corren un peligro mucho mayor de lo que es en realidad.

Debra Niehoff (1998), una científica experta en cólera y violencia, dice que «la clave para calmar un comportamiento violento está en regular la... amenaza (percibida) de modo que la intensidad de la respuesta se corresponda con las exigencias reales de la situación». Lo que quiere decir es que nuestro cerebro necesita funcionar suficientemente bien parar distinguir con precisión las situaciones que no plantean amenaza alguna de aquellas que representan un peligro menor, un peligro grave o un peligro de muerte. Pero justo eso es lo que no pueden hacer las personas que han sobrevivido a un gran trauma. Caen en el mismo error una y otra vez, creyendo equivocadamente que están en peligro. Sus falsas interpretaciones de la realidad desencadenan falsas (e innecesarias) cóleras de supervivencia.

Si uno sufre esos ataques de cólera inútiles y peligrosos, debe aprender a poner en tela de juicio la exactitud de aquello que percibe y la interpretación que hace de la realidad. Debe tratar al cerebro como si fuera un experto detective que escucha una historia inverosímil, como la siguiente:

Cerebro: De veras, agente, ese tipo de la fiesta me está amenazando.

Detective: Vale, vale, siempre dices lo mismo. ¿Puedes probarlo?

Cerebro: Bueno, me está mirando de un modo extraño.

Detective: ¡Venga, ya! Sólo está recorriendo la sala con la mirada, como hacen todos en las fiestas.

Cerebro: Pero pone cara rara, como hacía mi padre.

Detective: Eso es porque lleva bigote, como tu padre. No puedes arremeter contra él sólo porque tenga bigote.

Cerebro: ¿De verdad crees que no me amenaza?

Detective: Mira, no te conoce de nada. Es tan sólo uno más que asiste a la fiesta. No va a por ti. Relájate.

Cerebro: Vale, lo intentaré.

Lo que quiero decir es que si uno ha sufrido ataques de cólera de supervivencia, no debe confiar en que el cerebro le facilite una información exacta para evaluar la gravedad de una amenaza. Ese cerebro puede funcionar muy bien en todo lo demás, pero se equivoca mucho en lo referente a las señales de peligro. Si se siente amenazado, debe verificar las cosas muy seriamente. No obstante, hay que tener cuidado: verificar las cosas no significa ver solamente las señales, los indicios o las claves que confirmen los peores temores, sino que hay que buscar activamente cosas que ayuden a sentirse seguro con los demás.

A veces es útil tener un par de amigos al lado que nos ayuden a mantenernos en la realidad. Ese detective que llevamos dentro necesita aliados. Veamos un ejemplo:

Yo: ¿Puedo hablar contigo un momento? ¿Ves el tipo ese de ahí? Creo que me está mirando de un modo extraño.

Amigo: ¡Venga, no te dispares! Le conozco. No hay ningún problema con él.

Paso 2. *Memorizar unas cuantas frases cortas para repetirse uno mismo en el momento de sentirse amenazado. Después, practicar con ellas religiosamente.*

Helene, de cincuenta años de edad, ha vivido siempre en la pobreza. Toda su vida ha estado preocupada por el dinero. Pero un día descubrió una palabra en la que pensar que la ayudó enormemente. Ahora, cuando empieza a preocuparse por el dinero que tiene o que necesita, se dice para sí misma una palabra y siente un alivio inmediato: «Suficiente». Ésa es la palabra, que significa: «Tengo dinero suficiente».

Este tipo de pensamiento es el que necesita Terry. No esa palabra concreta, por supuesto, pero una expresión o un dicho que le ayude rápidamente cuando se siente amenazado. Necesita una palabra o una frase que cumpla estos requisitos:

1. Que sea sencilla.

2. Que suene bien.

3. Que le ayude a estar tranquilo.

4. Que consiga mantener a raya la cólera.

Hay que recordar que el cerebro reacciona ante la sensación de peligro casi de modo instantáneo, en menos de un segundo. Seguramente, nadie puede detener esa reacción inicial, pero en un par de segundos empezamos a recibir información mejor y más completa que normalmente nos ayuda a calmarnos. Los lóbulos frontales se activan, al igual que el hipocampo, y las cosas se sitúan en una perspectiva mejor. Sin embargo, ese pequeño lapso de tiempo hace que algunas personas puedan sufrir un ataque de cólera de supervivencia, especialmente si han sufrido algún trauma. La idea es tender un puente mental y emocional entre esas dos vías. Es necesario cuestionar inmediatamente ese sentimiento inicial de peligro.

Pienso que prácticamente casi todo el que sufre este tipo de cólera puede dar con una expresión que le ayude a calmarse. Sin embargo, cada persona es única. Eso significa que la expresión que ayuda a Terry no ayuda a otro. Si uno realmente tiene esa clase de cólera, el reto estriba en encontrar la o las palabras mágicas que funcionen.

He aquí varias posibilidades:

- «Calma.»

- «Estoy seguro.»

- «No hay peligro.»

- «Estate tranquilo.»

- «Confía en Dios.»

- «Piensa.»

- «Respira.»
- «No hay enemigos a la vista.»
- «Relájate.»
- «Cuidado con las falsas alarmas.»
- «No te vuelvas paranoico.»
- «Ten confianza.»

Nada sofisticado. Nada complejo. Estas expresiones van directas al centro emocional del cerebro. ¿Qué expresión puede utilizar para detener su cólera?

Una cosa más. No sirve de nada escoger una de estas expresiones si no se utiliza de modo regular. No hay que esperar a que haya un tipo en la fiesta que nos mire de manera extraña. En vez de ello, hay que empezar pensando en la frase a diario. Por ejemplo, pensar cada día en la ducha o delante del espejo: «No hay enemigos a la vista». Que la frase esté en el cerebro, en el corazón, en el alma. Que forme parte de la vida.

Paso 3. *Rodearse de gente que inspire seguridad*

Hasta aquí, este capítulo ha partido de un supuesto: nuestro protagonista vive en una situación razonablemente segura. Pero, ¿y si eso no es cierto? ¿Qué ocurre si la persona está viviendo con una pareja que le maltrata y le golpea continuamente? ¿Qué sucede si vive en un barrio altamente peligroso, en una zona en que corre mucha cocaína y drogas de síntesis? ¿Y si pertenece a una pandilla en la que el uso de la violencia es común y rutinario? ¿Y si frecuenta un bar donde hay unos camorristas que siempre se están peleando? ¿Qué pasa si se es un adolescente que vive con unos padres o unos parientes que le maltratan física o sexualmente? ¿Qué ocurre si se está preso en una cárcel, rodeado de gente que querría matarle en cualquier momento?

¿Cómo se puede pensar en mejorar el control de los ataques de cólera estando en esas circunstancias? Después de todo, hay que sobrevivir. Por otra parte, cuando la situación es muy peligrosa, eso es en lo último que se piensa. Quizás sea mejor poder pensar, planear y escapar del peligro que enfrentarse a él.

Naturalmente, lo mejor que se puede hacer es salir de esas terribles situaciones. Hay que dejar al cónyuge maltratador, nadie merece que le peguen. Dejar la pandilla. Si es el padre el que pega, optar por ir a vivir con la madre o buscar otra familia en el caso de que sean ambos padres los maltratadores. Mudarse de esa porquería de barrio, aunque ello signifique tener que conseguir otro trabajo. Buscar otro bar o dejar de beber. La seguridad es lo primero. Seguridad significa todo. Sintiéndose seguro es más fácil dejar de encolerizarse.

Con todo, puede que nada de ello sea posible. Quizás por obligación tiene que estar allí durante un año. No tiene dinero para mudarse. La justicia le ha ordenado vivir con el padre. Ama demasiado a la pareja como para abandonarla. Tiene que estar en esa cárcel durante cinco años. Debemos afrontar el peligro cada día, aun así, puede hacer algo. De hecho, tiene que hacer algo para sobrevivir, debe encontrar a gente que le infunda seguridad, rodearse de esas personas para poder sentirse lo más seguro posible aun en situaciones difíciles.

¿Qué hace que nos sintamos seguros? En primer lugar, hay que recordar que la mejor predicción del comportamiento futuro es el comportamiento pasado, así que las personas más seguras son las que nunca nos han hecho daño ni nos han golpeado, las que tampoco han hecho daño ni golpeado a otros. En segundo lugar, las personas seguras protegen siempre que pueden, advierten del peligro, nos guardan las espaldas cuando lo necesitamos, intentan que estemos seguros. En tercer lugar, esas personas son coherentes y lo que dicen encaja siempre con lo que hacen. Esto significa que se puede confiar en ellas: no dicen que son amigos tuyos y luego actúan como enemigos. En cuarto lugar, las personas seguras se preocupan de nosotros, piensan en nosotros, nos preguntan y quieren ayudar siempre que pueden, realmente desean que vivamos bien. En resumen, por lo general se sentirá seguro con personas seguras. Puede que no sea así de buen principio, pero finalmente con el tiempo les tendrá confianza. Así pues, hay que encontrar a esas personas seguras, estar con ellas el mayor tiempo posible, aprender de ellas a sentirse seguro interiormente. Quizás, finalmente, pueda hacer que esas personas también se sientan más seguras.

Paso 4. *Plantearse la búsqueda de ayuda para encarar la propia historia traumática y aprender a separar el pasado del presente.*

Terry ha estado saliendo con una magnífica mujer llamada Marcie. Es una mujer amable, generosa, que sabe escuchar maravillosamente. Un día, Marcie le dice: «Terry, cuéntame tu historia». A Terry le encantaría hacerlo. Necesita que ella comprenda lo mucho que sufrió en su infancia. Aun así, al principio duda, tiene miedo de que hablar de sus demonios no haga más que empeorar las cosas, pero Marcie le anima a hablar porque quiere realmente saber cosas de él.

Al principio todo va bien. Terry cuenta a Marcie lo pobre que era su familia, que apenas tenían para comer. Después, decide arriesgarse y le cuenta las palizas que le daba su padre. Y ahí es cuando salen a relucir todos los trapos sucios. Terry se siente arrastrado al pasado. Empieza a recordar cómo su padre entraba en su dormitorio, iba directo hacia él una vez más, terrible y encolerizado. Los ojos de Terry se entrecierran con una mirada iracunda, pero lo que ve no es real. Empieza a temblar de arriba abajo. Empieza a decir «no, no, no», al igual que el día que tuvo su primer ataque de cólera de supervivencia. Marcie se da cuenta enseguida de que Terry tiene un problema. Intenta ayudarle sacudiéndole por los hombros para que vuelva al presente. Entonces, Terry se gira y golpea a Marcie hasta derribarla. Después, cuenta que no la reconoció, creyó que estaba pegando a su padre, no a Marcie. Sintió que estaba luchando de nuevo por su vida. No volvió del pasado hasta quince minutos después e hicieron falta varias horas para que se calmara.

Las personas traumatizadas se quedan a veces atrapadas en el pasado. Es como si se vieran empujadas a un agujero negro de su memoria del que no pueden escapar. Ese pasado llega a convertirse en su presente. De este modo, hombres y mujeres adultas se convierten en niños atemorizados y desesperados. Sienten ahora lo que sentían entonces. Piensan ahora del mismo modo en que pensaban entonces.

Es difícil reaccionar de modo racional cuando se está anclado en el pasado. Cuando uno se siente totalmente amenazado, es terriblemente duro dejar de encolerizarse. Por ello, aconsejamos con firmeza buscar a alguien que nos ayude a enfrentarnos a esos traumas, especialmente si se sufren experiencias disociativas como las descritas. Por fortuna, hay personas que pueden prestar ayuda. Puede que sean buenos amigos, profesores, religiosos o familiares; gente de buen corazón, capaz de escuchar, dotada de sentido común y de mucha paciencia. Pienso también que se puede intentar una terapia con un profesional. En la actualidad, hay numerosos terapeutas expertos en procesos traumáticos. Están especializados en ayudar a los pacientes trabajando sobre sus heridas pasadas sin que en el proceso vuelvan a traumatizarse. Una ventaja a la hora de ponerse en manos de un profesional es que no hay que preocuparse de decir o hacer algo que pueda herir a las personas que uno ama. No hemos de proteger al terapeuta de nosotros mismos.

Tanto si se habla con amigos como con un terapeuta, el objetivo es separar el pasado del presente para acabar con los innecesarios ataques de cólera de supervivencia.

La cólera de supervivencia es potente, primitiva y peligrosa. Aparece rápida y violentamente. No obstante, se puede aprender a manejar la situación para controlarla. No hay que dejar que nos arruine la vida.

6

La cólera de impotencia

Carlene, una mujer que se siente indefensa, atrapada y furiosa

Carlene, de cuarenta años de edad, se divorció del que fue su marido durante quince años por una sola razón: «Clark era muy controlador. Quería manejar todo en mi vida. No me dejaba respirar». Pero por desgracia Clark aún forma parte de su vida porque tienen dos hijos y comparten su custodia y su vida. Clark sigue intentando controlar a Carlene, la llama constantemente cuando ésta tiene a los niños y le dice cómo ha de tratarlos. Se porta fatal con ella si no hace las cosas como él quiere. La insulta y la acusa de ser una madre «patética».

Clark juega a un juego que parece planeado para herir a Carlene en lo más profundo. El otro día prometió recoger a los niños a la vuelta de su partido de fútbol, pero no apareció. A causa de ello, Carlene tuvo que salir más pronto del trabajo para ir a recogerlos. Cuando se quejó a Clark, éste se rio de ella. Intentó también predisponer a los niños contra ella; les compraba cosas que ella no podía permitirse y les decía que Carlene tuvo la culpa de que se divorciaran. Él, en cambio, no tiene remordimientos y dice que Carlene ha arruinado la vida de los niños destruyendo la familia.

Carlene sabía que debería hacer caso omiso del juego de Clark, de sus palabras desagradables, de su afán manipulador. Deseaba poder hacerlo. Pero, en vez de ello, se obsesionaba pensando en él. «¿Qué sería lo próximo que haría? ¿Por qué no paraba?». Carlene pensaba ahora más en él que cuando estaban casados. Y, lo que es peor, siente que Clark aún la controla. No la deja respirar, se siente indefensa, incapaz de fijar y mantener unos límites entre ella y su ex marido. Pero ¡ojo!, Carlene está cada vez más fuera de sí.

La cólera de Carlene

Carlene se enfurece mucho con Clark. Muy a menudo le grita que la deje en paz, pero son pequeñas explosiones, como las fumarolas de un volcán dormido. Entonces recibe una notificación donde se le informa de que Clark la lleva de nuevo a juicio porque quiere que ella pague la pensión de los niños. La razón de Clark: ha tenido a los niños un día más que ella durante el último año. Pero eso fue porque él se ofreció generosamente para que los niños durmieran con él en Nochevieja. Y en ese mismo momento llega Clark como si no sucediera nada.

Carlene enloquece. Empieza a gritar y a gritar. Rompe la notificación y se la tira a la cara. Le empuja tan fuerte como puede aunque él pesa más de 90 kilos. Carlene se oye decir cosas que nunca había dicho antes, a pleno pulmón. Cuanto más grita, más ganas tiene de gritar. Cuando Clark intenta meterse en el coche para irse, se interpone en su camino y sigue despotricando contra él. Está tan furiosa que escupe al hablar. No para. Sigue igual durante más de media hora. De vez en cuando baja el ritmo durante unos segundos, pero luego vuelve a chillar. Parece un volcán en erupción, un Vesubio de ira. Carlene tiene un ataque de cólera.

Observemos, sin embargo, que la cólera de Carlene es diferente de la cólera de supervivencia de Terry descrita en el capítulo 5. Carlene no pierde la conciencia. Y lo que es más importante, lo que provoca la cólera de Carlene es su sentimiento de frustración e impotencia, no el miedo a morir. Lo que Carlene experimenta es una cólera de impotencia.

Cólera de impotencia

La cólera de impotencia es un sentimiento de furia tremenda originado por la sensación de indefensión que sobreviene cuando una persona es incapaz de controlar situaciones importantes. Ocurre cuando alguien intenta hacer todo lo posible por cambiar una situación importante, pero no puede. Myron, por ejemplo, ha estado luchando contra un cáncer durante varios años y se siente impotente después de haber intentado presentar batalla con la oración, la quimioterapia, la radioterapia, la medicina alternativa e incluso fármacos experimentales, pero nada ha podido frenar la progresión de la enfermedad. Terminó levantando el puño a Dios, pidiéndole que le dijera por qué le estaba torturando de ese modo. Al no obtener respuesta de Dios, Myron se sintió aún más furioso. Se encolerizó consigo mismo, con Dios, con su familia y con el mundo.

La cólera de impotencia suele generarse lentamente. La persona alberga un resentimiento, se enfurece, se pone nerviosa y se consume. Intenta una y otra vez que las cosas mejoren, pero nada funciona. A menudo, todo empeora en vez de mejorar. Carlene se siente cada vez más atrapada. Myron, cada vez más enfermo. Siguen intentándolo, se atrincheran, pero el dolor no los abandona. Finalmente, se acumula tanta presión que acaban explotando.

¿Y usted?

Antes de proseguir, piense en una situación en la que se haya sentido impotente y fuera de control. ¿Cuáles de las siguientes preguntas reflejan el modo en que se sintió esa vez?

- ¿Se sintió como si explotara porque la gente no le escuchaba o comprendía?

- ¿Se sintió a la vez impotente y furioso por algo que no podía controlar?

- ¿Se dijo asimismo: «No aguanto más», o tuvo pensamientos parecidos?

- ¿Se sintió tan encolerizado que tuvo que hacer algo, cualquier cosa, aunque eso significara empeorar la situación?

- ¿Alguna vez pateó, rompió cosas o gritó porque no funcionaba todo como usted quería?

- ¿Ha tenido deseos de venganza o pensamientos violentos contra una persona porque se ha sentido controlado por ella?

- ¿Ha dicho o hecho cosas de las que después se ha arrepentido?

- ¿Ha sentido una cólera violenta hacia personas o cosas que no podía controlar?

- ¿Y ahora? ¿Siente esas mismas ideas y sensaciones? ¿Cree que va a experimentar un ataque de cólera de impotencia un día de éstos?

La clave para comprender la cólera de impotencia

¿Qué sucede a las personas que se dejan llevar por este tipo de cólera? En realidad, todas las cóleras de impotencia encierran una idea simple: la cólera se produce cuando las personas sienten que no pueden controlar su propio destino. Esto se hace más patente en Estados Unidos y en los países occidentales, que hacen hincapié en la independencia, la autodeterminación personal, la intimidad y el autocontrol. Pretendemos ser los amos de nuestro destino: independencia es fortaleza, depender de los demás es debilidad. Tener las riendas de la propia vida es poder, estar en manos de otros es una desgracia.

¿Qué sucede a las personas que pierden el control de su vida? Podemos encontrar una respuesta en cualquier residencia de ancianos. Ahí encontraremos a unas cuantas personas amargadas y furiosas. Están furiosas contra un mundo en el que ya no pueden decidir cuándo levantarse por la mañana, qué comer y con quién hablar. «Vete, déjame solo» es su cantinela. Su libertad se ha visto recortada y no aprecian la que tienen.

Las personas de cualquier edad protestan por la pérdida de capacidad de elección. Luchan contra ello, pero a veces pierden terreno independientemente de lo mucho que hayan batallado. Se desesperan. Y ahí es cuando tienen lugar las cóleras de impotencia.

Voy a dar un ejemplo cinematográfico. En la película *John Q*, Denzel Washington interpreta el papel de un hombre amable, discreto, un tipo normal y corriente que sobrelleva los recortes salariales y los despidos en la fábrica en que trabaja. No es un individuo que tenga una postura radical en nada, sólo quiere ir tirando y llevar una vida placentera. Un día su hijo casi se muere a causa de un fulminante ataque al corazón. El niño necesita un trasplante de corazón para sobrevivir, pero el seguro médico de John Q no cubre esa prestación. Su hijo se está muriendo y él se siente impotente. Intenta razonar con el director financiero del hospital. Es inútil. Intenta conseguir un préstamo. No hay manera. Su hijo está cada vez peor. Su mujer le grita: «¡John, haz algo!». John Q va a casa, coge una pistola y asalta la sala de urgencias del hospital. No tiene ningún plan, no está seguro de que eso le sirva de ayuda, pero John Q siente que tiene que hacer algo, cualquier cosa, para salvar la vida de su hijo.

Uno tiene que haber sufrido mucho para experimentar un ataque de cólera de impotencia. La cuestión es que, sintiéndose cada vez más y más desesperado, lucha infructuosamente por controlar su destino.

Los seis componentes principales de la cólera de impotencia

Hay seis componentes diferentes de la cólera de impotencia, cada uno de ellos es como el arroyo que se forma tras una tormenta. Cuando todos esos arroyos abocan sus aguas en un río, pueden llegar a desbordarlo. Ése es el momento en que la gente piensa: «No puedo más», y sufren un ataque de cólera.

¿Hasta qué punto le resultan conocidos los siguientes componentes de la cólera de impotencia?

1. Los coléricos creen que han sufrido agresiones graves. Esas agresiones pueden ser físicas, económicas o emocionales.

2. Se sienten impotentes para cambiar la situación después de haber hecho repetidos esfuerzos.

3. Acaban agotando todas las vías socialmente aceptables para resolver la cuestión.

4. Acaban obsesionados con el problema y son totalmente incapaces de pensar en nada más.

5. Se ven cada vez más como víctimas inocentes de las acciones intencionadas o irreflexivas de los demás. Empiezan a ver a sus adversarios como personas malvadas que tienen que ser castigadas.

6. Planean y a veces llevan a cabo acciones específicas destinadas al menos simbólicamente a reparar el daño que han sufrido.

Vamos a examinar cada uno de estos componentes. Pero para dar cuerpo a esta teoría con una experiencia real, a continuación veremos la historia de un hombre a quien la cólera de la impotencia condujo a una agresión fatal.

Bart Ross, colérico por impotencia

Es 28 de febrero de 2005. Un hombre llamado Bart Ross irrumpe en la casa de la juez Joan Lefkow, en Chicago. Permanece varias horas merodeando por allí. Planea matar a la juez Lefkow, pero es descubierto por el marido y la madre de la juez. Les dispara, los mata y se va de la casa. Después se suicida y deja una nota en la que explica el motivo de su cólera.

Considero que Bart Ross en un claro ejemplo de cómo se desarrolla la cólera de impotencia. Aparentemente, ha reunido paso a paso todos y cada uno de los seis componentes antes mencionados.

Paso 1. *Bart cree que ha sufrido una grave agresión, no una vez, sino muchas.*

Bart Ross había sido tratado a mediados de los años noventa en un hospital de Chicago a causa de un cáncer bucal. Creía que la operación había sido una chapuza, que le habían desfigurado. Según él, ésa fue la primera injusticia. Pero después vinieron muchas más. Intentó demandar al hospital y a los médicos implicados, pero no consiguió nada. Su caso fue archivado por varios tribunales. Finalmente, llevó la demanda al tribunal federal, reclamando millones de dólares al Estado de Illinois, a médicos y abogados. La juez Lefkow era quien llevaba el caso.

Observemos que en este caso la realidad no es lo que importa. Puede que Ross estuviera completamente equivocado o puede que hubiera algo de verdad en sus reclamaciones. Lo que interesa es que él estaba totalmente seguro de que tenía razón. Estaba convencido de que un sistema social cruel y desconsiderado le había estado agrediendo gravemente una y otra vez. Esa idea fue la que le indujo a la acción.

Paso 2. *Ross se siente impotente para cambiar la situación después de haber hecho repetidos esfuerzos por conseguirlo.*

Ross dejó escrito en una nota: «Los abogados me dicen que vaya al médico y los médicos que vaya a ver a un abogado» (Slevin 2005, 11A). Se quejaba de haber recorrido más de ocho mil kilómetros y de haber hablado con cientos de abogados y cientos de médicos. Sin embargo, todo ese trabajo fue en vano. En 2005 estaba tan cerca de conseguir lo que él consideraba justo como diez años antes.

Éstas son algunas de las palabras que describen cómo se sienten las personas que llegan a ese punto: impotentes, abrumadas, manipuladas, debilitadas, desesperadas, incomprendidas, abandonadas, víctimas de una confabulación y convertidas en chivos expiatorios. Sin embargo, la necesidad humana de resolver problemas puede hacer que las personas sigan en la brecha, incluso frente a un fracaso abrumador. La palabra que Ross probablemente no podía soportar era «derrota». Siguió defendiendo su caso.

Paso 3. *Finalmente, Ross agota todas las vías socialmente aceptables para solucionar la cuestión.*

En un momento dado, las personas que van a sufrir un ataque de cólera de impotencia se salen de las normas establecidas. Nadie hubiera asumido la defensa de Ross. Nadie lucharía por él. Por supuesto, la mayoría de las personas habrían abandonado la lucha mucho antes. Esas personas habrían seguido adelante con sus vidas, aunque se hubieran sentido gravemente agredidas. Si Ross hubiera podido seguir esa vía, seguramente tres personas todavía estarían vivas. Pero él no pudo seguir adelante. Fuera de toda opción social aceptable, Ross empezó a pensar en opciones bastante más agresivas.

Paso 4. *Ross acabó obsesionado con el problema, totalmente incapaz de pensar en nada más.*

A medida que la presión aumenta, el mundo de las personas coléricas se vuelve psicológicamente cada vez más pequeño. Sólo pueden pensar en las agresiones que han sufrido. Sus vidas se centran en el deseo de resarcirse de sus heridas. Se obsesionan por completo. Finalmente, se vuelven maestros en el arte de desviar las conversaciones hacia el único tema que les importa en la vida. En una conversación sobre tomates, por ejemplo, Bart Ross se quejaría de que ahora no puede comer tomates por culpa de lo que los médicos le hicieron en la boca.

Paso 5. *Ross se veía a sí mismo cada vez más como una víctima inocente de las agresiones de los demás.*

La paranoia es prima hermana de la obsesión. Cuanto más obsesionado se está, más fácil es creer que la gente va por uno. Todo el que no estaba con Ross se convertía en su enemigo. Ross, al igual que todos los paranoicos, se veía a sí mismo como una víctima inocente de la malvada intención de los demás. Dejó escrito en una carta que la juez Lefkow era «una criminal y terrorista de tipo nazi» que utilizaba el poder judicial para dañarle (Slevin 2005, 11A).

Paso 6. *Ross planeó entonces una serie de actos concretos ideados para reparar el daño que había sufrido.*

Bart Ross creía que la única víctima de todo era él. Por lo visto pensaba que tenía derecho a vengarse de la gente que le había dañado. Quién sabe cuánto tiempo estuvo tramando su plan. Su ataque estaba pensado no sólo contra un juez particular, sino contra todo el sistema médico y judicial. Ross deseaba y necesitaba hacer algo que le permitiera decir al mundo y a sí mismo que ya no sería más una víctima débil e impotente.

Por fortuna, existen pocos Bart Ross en el mundo, pero hay muchas, muchas personas que arden de resentimiento contra aquellos que creen que les han herido. Esas personas pueden ocasionalmente perder en parte el control. Usted, lector, puede ser una de esas personas. Si es así, por favor preste especial atención al resto del capítulo.

Cómo prevenir los ataques de cólera de impotencia

La cólera de impotencia sobreviene cuando se piensa que se ha perdido el control sobre nuestras vidas. La clave para prevenir este fenómeno es entonces encontrar la manera de recuperar esa sensación de control.

1. Piense en nuevas medidas más efectivas para conseguirlo.

2. Acepte la realidad, abandone la lucha imposible y siga adelante con su vida.

Hay situaciones que se ajustan a la primera solución; otras, a la segunda; y en muchas otras situaciones lo mejor es combinar las dos. A continuación, describiremos ambas vías para prevenir la cólera de impotencia. Pero antes conviene que pensemos si hay en nuestra vida una situación en la que la ira haya ido convirtiéndose en una cólera de impotencia. Puede ser una situación tan insignificante como que el periódico le llega tarde casi cada día, o puede tratarse de un tema más serio, como la batalla interminable de Carlene con su ex marido. Pregúntese qué enfoque puede ser más efectivo mientras lee las siguientes páginas.

Imaginar soluciones más efectivas

Al lector debe sonarle el antiguo refrán de que «Si no está roto, no lo arregles». Bien, pues dele la vuelta a la idea: «Si esto no funciona, haz otra cosa». Ésa es una de las claves para prevenir la cólera de impotencia.

A continuación, se describen seis pasos que hay que llevar a cabo para emprender nuevas acciones.

Paso 1. *Analizar qué es lo que va mal.*

Tras su ataque de cólera contra Clark, Carlene analizó su situación. Se dio cuenta de que ella misma se había instalado en la cólera que sentía contra él. «Me quedé con la idea de que él sería justo y razonable conmigo. Me había convencido de que iba a anteponer los intereses de los niños a los suyos propios. Esperaba de él que fuera reflexivo, generoso y atento.» El problema es que Clark nunca había sido reflexivo, generoso y atento. De hecho, Carlene se había divorciado de él en gran parte por que era irreflexivo, miserable y desconsiderado. ¿Por qué pensó que ahora iba a cambiar?

Carlene, como la mayoría de las personas, suele tropezar dos veces con la misma piedra. Hace lo mismo una y otra vez y espera resultados diferentes. En este caso, pide a Clark que haga algo bueno, o espera de él que cumpla sus promesas y así pone su bienestar en manos de Clark, pero eso no es buena idea. Clark no cumple las expectativas de ella. Cuando eso ocurre, Carlene se siente totalmente frustrada, se siente débil, tonta y muy, muy furiosa cada vez que eso sucede. No es de extrañar que al final explote.

¿Hace usted lo mismo que Carlene? ¿Espera nuevos resultados de un mismo comportamiento ineficaz? Si es así, está generando en su interior una cólera de impotencia.

Paso 2. *Dejar de hacer aquello que no funciona.*

Pocas veces resulta fácil cambiar un comportamiento habitual, pero Carlene sabe que tiene que hacerlo para poder dejar de encolerizarse con Clark. De modo que se sienta y hace una lista de «Cosas que no tengo que hacer». No pedir nada a Clark. No contar con que llegue alguna vez a tiempo. No esperar de él que cumpla sus promesas. No hacerle ningún favor por muy amablemente que lo pida. No ayudarle cuando le toque a él estar con los niños. No depender de él para nada. Nunca ha conseguido Carlene lo que quería haciendo estas cosas. Tan sólo han servido para avivar su cólera.

¿Y usted? ¿Hace cosas que no funcionan? ¿Qué comportamientos concretos tiene que abandonar?

Paso 3. *Idear nuevas metas realistas.*

Una de las soluciones para prevenir la cólera de impotencia es llevar a cabo una acción efectiva. A Carlene no le bastará con dejar de hacer lo que está haciendo. De ese modo, sólo se creará un vacío emocional. Tiene que proponerse un nuevo plan. Eso significa fijar objetivos realistas.

Carlene se plantea esta meta general: controlar al máximo las situaciones en las que interviene Clark. Ella sabe que es un buen objetivo, pues se siente relajada con tan sólo imaginárselo. Se lo plantea para encauzar el modo de vérselas con Clark. También se da cuenta de que no va a ser un propósito fácil de conseguir, pues Clark ha ido siempre a la suya y no va a dejar de hacerlo de buen grado. Con todo, ese objetivo ayuda a Carlene a recordar que es ella y no Clark quien tiene las riendas de su vida.

¿Qué objetivo necesita usted plantearse en la situación frustrante en que se encuentra?

¿Puede proponerse un objetivo que le ayude a sentir que controla su vida?

Paso 4. *Establecer unos planes específicos para alcanzar los objetivos propuestos.*

El siguiente paso de Carlene es cambiar su propósito general por un plan específico. Eso significa pensar detenidamente. No están permitidas las ideas vagas, Carlene necesita directrices claras, necesita una lista de lo que «sí» debe hacer que complemente la lista de lo que «no» debe hacer, que ya ha elaborado. Decide lo siguiente: anotar las veces que llega tarde a buscar a los niños; decirle exactamente lo que va a hacer y lo que no va a hacer en cada situación; insistir en que especifique con exactitud a qué se compromete cada vez que haga una promesa; hablar con un abogado si Clark insiste en que ella pague la pensión de los niños; hacer tan sólo lo que a ella le corresponde hacer con los niños, sin tener en cuenta las excusas que esgrima él.

Puede que Carlene tenga que añadir cosas a la lista con el tiempo, pero de momento la lista de lo que «no» debe hacer y de lo que «sí» debe hacer le marcará unas directrices de comportamiento.

Ahora le toca al lector. ¿Puede hacer una lista de al menos media docena de cosas que «sí» debe hacer a fin de sentirse más fuerte y más eficaz? Ello le ayudará a sentirse menos frustrado y menos iracundo.

Paso 5. *Probar estas nuevas pautas de comportamiento.*

Cambiar el modo de comportarse es difícil de empezar a hacer y difícil de seguir haciendo. Clark da a Carlene muchas oportunidades para practicarlo. Ayer mismo, por ejemplo, la llamó y le pidió si podría devolverle a los niños un par de días antes del tiempo previsto que pasaran con él. Carlene siempre le había dicho antes que sí, pero después se sentía idiota, utilizada. De modo que esta vez dijo que no. Obviamente, Clark se disgustó. Primero intentó crearle mala conciencia. Como eso no funcionó, le amenazó con devolvérsela la próxima vez que ella le pidiera un favor, pero eso no suponía ningún problema porque Carlene no le había pedido nunca nada desde que hizo la lista de los «no». En vez de flaquear y finalmente ceder, Carlene se mantuvo firme, es más, informó a Clark de que tenía que devolver a los niños entre las 6 y las 8 de la tarde del viernes, como decía el convenio, y no antes. Clark se volvió a quejar y colgó el teléfono, pero lo más probable es que cumpla el convenio. Por otro lado, Carlene tiene planes para ese viernes. No estará en casa antes de las 6 de la tarde, de modo que él no podrá dejar a los niños antes. Para sorpresa de Carlene, su nuevo comportamiento le está dando resultado.

¿Cuál es el nuevo comportamiento que usted ha elegido en un futuro inmediato para remediar su frustración? ¿Seguirá con él si le funciona? Si no le funcionara, ¿podría averiguar qué es lo que no ha ido bien?

Paso 6. *Revisar regularmente el progreso realizado y estar preparado para seguir experimentando si es necesario.*

Carlene mejora. Ya no le hierve la sangre cada vez que piensa en Clark. También está bastante tranquila en su presencia. Pero todavía se siente muy frustrada con una de las manías de Clark. Éste sigue comprando a los niños ropa que no necesitan: ropa de moda, accesorios caros, cosas delicadas que requieren cuidados especiales. Los niños ni siquiera piden esas cosas. En realidad, Clark insiste en que lleven esa ropa cuando los deja en casa de Carlene. Ella se da cuenta de que lo hace para humillarla, para alardear de que tiene más dinero que ella.

Carlene inicia una nueva estrategia: informa a Clark de que ya no lavará, arreglará ni se encargará más de esa ropa nueva. En vez de ello, simplemente la pondrá en una bolsa cuando los niños vayan a su casa. Puede lavarla él mismo. A buen seguro que Clark dejará de enviarle a los niños con ese tipo de ropa.

Nada funciona eternamente. De modo que hay que estar preparados para emprender nuevas estrategias en sustitución de las que ya no funcionan. Si descubre que vuelve a sentir cólera de impotencia, tendrá que pensar en hacer algo diferente.

Aceptar la realidad

Hay muchos libros que hablan de cómo convivir con personas problemáticas, irritantes y difíciles. No importa lo que uno diga o haga, las personas seguirán siendo problemáticas, irritantes y difíciles. El ex marido de Carlene, por ejemplo, la saca de quicio con sus incansables protestas y sermones, haga ella lo que haga. Lo estrangularía cada vez que él la llama. Carlene no quiere tener otro ataque de cólera. Le costó varias semanas reponerse del último. Pero ella misma puede provocarse otro.

¿Y ahora qué? Carlene necesita desviar la energía que dedica a Clark y concentrarla en ella misma. Tiene que aceptar la realidad (Clark no va a cambiar), dejar de controlar a su ex marido y seguir adelante con su propia vida.

A continuación, detallamos los seis pasos que debe dar Carlene. También ayudarán a quien necesite dejar atrás una lucha infructuosa y volver a tomar las riendas de la propia vida.

Paso 1. *Primero hay que reconocer los límites del control que tenemos sobre el universo.*

Puede que en muchos momentos de la vida el lector haya pronunciado la plegaria de la serenidad: «Que Dios me conceda serenidad para aceptar las cosas que no puedo cambiar, valentía para cambiar las que sí puedo y sabiduría para ver la diferencia». Bien, yo creo que la parte más difícil de la plegaria es la de aceptar aquello que no se puede cambiar. Los seres humanos no solemos aceptar de buena gana los límites de lo que podemos o no podemos hacer.

Cuando se es proclive a tener ataques de cólera, es posible que la persona sea muy tenaz: no abandona a la primera, sigue luchando por lo que cree que es moralmente justo o absolutamente necesario. Esa tenacidad es una ventaja en muchos sentidos. Por ejemplo, una persona tenaz acaba cualquier tarea que emprende. No obstante, lo que es fortaleza puede convertirse en debilidad. Es posible que personas de este tipo no acepten la realidad que no pueden cambiar.

Hay personas que no cambian. Eso no tiene vuelta de hoja. Hay cosas que no pueden controlarse, sea cual sea el empeño que se ponga en ello. ¿Se ha hecho usted ilusiones de poder controlarlo todo? ¿Por qué?

Debemos preguntarnos lo siguiente: ¿Por qué me resulta difícil aceptar que no puedo controlar todo lo que me sucede? ¿Se debe al miedo de que suceda algo terrible? ¿De que alguien se haga con las riendas de nuestra vida y la controle? ¿De sentirse débil y poca cosa? ¿De morir?

Pruebe con esta frase: «Acepto la realidad de que mi poder es limitado y de no puedo controlar el universo». ¿Cómo se siente al decirlo?

¿Qué le parece la siguiente?: «Acepto la realidad de que no puedo controlar a _____». Rellene el espacio en blanco con el nombre de una persona a la que haya intentado controlar en vano.

Paso 2. *Especificar qué es exactamente lo que no se puede controlar en una situación concreta.*

Aceptar los límites que tiene uno en el mundo es imprescindible para prevenir la cólera de impotencia. Con todo, una simple declaración filosófica no basta: hay que especificar. Eso significa que Carlene debe tener presente qué es lo que no puede controlar de Clark. Pero debe concretar todavía más su pensamiento: tiene que recordar que no puede controlar su juego, sus manipulaciones, sus embustes. Finalmente, debe reconocer que no puede controlar la hora en que le devolverá a los niños, las cosas que hace cuando están con él o si va a ponerle más demandas o no.

Aceptar los límites es llevar una barca contra corriente. La resistencia es inevitable. De modo que Carlene tendrá que hacer algo más que pensar en ello de vez en cuando. Tendrá que pensar que cada vez que Clark recoja a los niños, ella deberá dejar de intentar controlar la situación. Necesitará probablemente la ayuda de alguien, un amigo generoso que haya pasado por una situación similar, un padre o una madre afectuosa, un grupo de apoyo a personas divorciadas o un abogado. Esas personas le ayudarán a llevar la barca con seguridad.

Rellene a continuación los espacios en blanco de las siguientes afirmaciones a fin de detallar qué cosas no puede controlar en una situación determinada que le lleva a sentir cólera de impotencia.

«Debo aceptar que no puedo controlar _____.»

«Tampoco puedo controlar _____.»

«Y no controlo _____.»

Paso 3. *Preguntarse qué es lo que se espera de alguien y que nunca se conseguirá.*

Hasta ahora hemos contemplado directamente temas inmediatos, pero la cólera de impotencia es fuerte y tenaz, se desarrolla en lo más profundo del alma, gira en torno a los deseos y necesidades más significativas para uno mismo. No se puede evitar una cólera de impotencia con unos cuantos pensamientos razonables. Es importante ir más allá.

La base de una cólera de este tipo suele encerrar un deseo profundamente arraigado, un anhelo frustrado. Carlene reconoció finalmente que lo que anhelaba es que Clark la apreciara. Si eso ocurriera, pensaba, entonces él la trataría con respeto y generosidad, aunque eso rara vez ocurrió en su matrimonio. En realidad, la falta de atención de Clark fue una de las razones del divorcio. Y Carlene seguía aferrada a esa idea, aunque Clark había llegado a faltarle aún más al respeto. Por fortuna, Carlene, cuando se dio cuenta de lo que ocurría, pudo dejar de fantasear y dejó caer la ilusión de convencer a Clark de que la apreciara.

¿Y qué decir con respecto a Bart Ross, el individuo que estaba rabioso a más no poder contra la juez Lefkow? ¿Qué deseaba tan desesperadamente como para matar por no conseguirlo? ¿Respeto? ¿Aprobación? ¿Compasión? ¿Apoyo? Probablemente, no lo sabremos nunca. Pero había algo en su interior que no lo soltaba. Primero lo llevó a buscar la aprobación y luego la justificación.

Piense de nuevo en situaciones en las que tiene dificultades para renunciar a algo. ¿Existe alguna pauta que usted reconozca? ¿Puede especificar qué es lo que tanto le cuesta abandonar? ¿Cuál de sus deseos más profundos no ha sido satisfecho? ¿Debe aceptar el hecho de que no se van a cumplir, al menos no por la persona que usted quiere o de la manera que desea? ¿Debe dejar atrás una quimera para poder volver a la realidad?

Paso 4. *Rebatir al temor de que ocurran grandes catástrofes si no consigue lo que quiere de alguien.*

Carlene teme que Clark predisponga a los niños contra ella. Teme que un día los niños le digan que quieren vivir con su padre. Ésa es la principal razón por la que intenta contestar a cada mentira, cada exageración y cada manipulación de Clark. Sin embargo, por mucho que Carlene intente evitarlo, él siempre sale con otro ardid. Carlene ha cedido todo el poder a Clark, es como si éste controlara su destino. Ella quiere a los niños, los necesita, no puede vivir sin ellos. Y él quiere quitárselos. No es extraño que esté tan preocupada y frustrada. La cólera de Carlene crece con cada jugada de su ex marido, al igual que sus sentimientos de impotencia y flaqueza. Esto sienta las bases para otro ataque de cólera.

Carlene necesita enfrentarse a esos miedos terribles. ¿Cómo? En primer lugar, necesita reunir información precisa. Sus hijos no quieren quedarse a vivir con su padre. Son lo suficientemente listos como para no dejarse engañar por sus artimañas. En segundo lugar, necesita recordar lo fuerte que es ella. Por ejemplo, es lo bastante inteligente como para saber protegerse cuando lo necesita. Sí, Clark es sucio y artero, pero no va a llevarse a los niños. Por último, en un plano más espiritual, Carlene sabe que podría superar cualquier cosa, incluso perder a sus hijos. Quizás Clark podría quitárselos, pero ni siquiera eso la derrotaría.

Las personas se entregan a la cólera de impotencia cuando no consiguen enfrentarse a sus temores irracionales.

He aquí algunas preguntas para el lector: ¿Qué catástrofes teme que ocurran si no consigue lo que quiere o lo que necesita de alguien? ¿Qué podría pensar o decir que le ayudara a superar esos temores? ¿Qué poder sobre su vida ha dejado en manos de otros?

Paso 5. Recuperar el propio poder mediante actos y pensamientos concretos.

Si la cólera de impotencia fuera una planta, sería de las que crecen en el suelo más pobre. Para evitar que crezca hay que añadir nutrientes al suelo. La fuerza personal es el mejor nutriente que hay en el mercado.

Carlene, por ejemplo, necesita marcarse un plan para saber qué hacer cuando los niños se van con Clark. En esos momentos es cuando más se aburre. Generalmente, se queda en casa y permanece preocupada todo el tiempo. Se pone nerviosa, se enfurece más y más. Se pone a punto para sufrir un ataque de cólera. Así que en vez de ello decide salir más. Empieza a ir a tomar café con una amiga. Dos semanas más tarde, sale al cine y a cenar. Finalmente, está preparada para la gran prueba: un viaje de fin de semana. Tiene que enfrentarse a sus miedos, claro está. Eso significa asegurarse de que tendrá todavía a sus hijos cuando vuelva. Se va, y se siente más fuerte y más segura que en los últimos años.

La situación de cada persona es única, de modo que lo que usted necesita hacer será diferente de lo que tenga que hacer Carlene. Se trata de darse cuenta de cuándo se siente débil o cuándo su vida parece estar en manos de otro. Entonces hay que hallar la manera de recuperar el control sobre la propia vida durante esos períodos. Pero no es bueno intentar controlar a otra persona. Es mejor centrarse en lo que uno puede hacer por sí mismo. Ése es el modo de poder recobrar una sensación de fuerza personal.

Hágase las siguientes preguntas: ¿Cuándo me siento más débil, como si alguien hubiese tomado posesión de mi vida? ¿Qué puedo hacer para ocuparme de mí mismo en esos momentos? ¿De qué modo me ayudará esto a sentirme más fuerte y sentir que controlo mi propio destino?

Paso 6. Plantearse la opción de perdonar a quienes nos han herido a fin de dejar atrás el resentimiento hacia ellos.

Cuanto más se piensa en algo malo que le ha ocurrido a uno, peor se suele sentir. El resultado final es la obsesión, la incapacidad de pensar en otra cosa que no sea la agresión o la ofensa recibida. A medida que se evocan esos momentos negativos, la obsesión da paso fácilmente a la cólera de impotencia. Si no dejamos atrás las viejas heridas, la impotencia, la cólera y el deseo de venganza, puede surgir un sentimiento de odio hacia la persona que nos ha herido. ¿Hasta qué punto la cólera de impotencia subyace a este fenómeno?

¿Cómo liberarse de ese sentimiento de odio? La respuesta está en perdonar a la persona que nos ha herido. Una definición del perdón es: «Abandonar el resentimiento y liberar al culpable de cualquier posible represalia» (Freedman, 1999). Hay que abandonar la idea de que no va a poder dejar de pensar en la persona que le ha dañado hasta que no sea debidamente castigada.

El perdón es un proceso lento y difícil. No lo es en cada momento o en cada situación. Muchas veces es más fácil dejarlo correr y olvidarse de una persona desagradable que buscar la manera de perdonarla. Pero el perdón ayuda a dejar de consumirse en la cólera generada por viejas heridas. Por ello es un modo útil de prevenir la cólera de impotencia.

Hay que recordar que la clave de la prevención es recuperar la sensación de tener el control sobre la propia vida. Un enfoque consiste en buscar la manera de controlar ciertos aspectos de la cuestión principal. A veces es también necesario aceptar lo que uno no puede controlar y dedicarse a cosas más gratificantes en la vida.

7

La cólera de vergüenza

Harry, un hombre que a menudo se siente ofendido

Harry es un carpintero habilidoso de treinta años de edad. Está casado con Susan y tiene tres hijos pequeños. Aunque Harry desea ser feliz con los parabienes de su vida, tiene un gran problema: es hipersensible a la crítica. Ayer mismo, por ejemplo, Harry estaba haciendo un escritorio para un cliente y apareció éste y le preguntó cuánto tiempo iba a dedicarle al trabajo. Harry se ofendió de inmediato. Dio por cierto que su cliente estaba suponiendo que iba a aprovecharse y facturar algunas horas de más. Se enfureció tanto que se le puso la cara roja, insultó al hombre y se fue dando zancadas, dejando allí las valiosas sierras y las herramientas. Llegó a su casa y se encontró con una llamada telefónica diciéndole que estaba despedido, y con su confusa esposa. «¿Qué ha ocurrido?», le preguntó. Entonces Harry volvió a explotar: «¡No empieces tú también!», gritó. Y siguió gritando a los niños: «¡Os digo que recojáis los juguetes y no lo hacéis! ¡Nunca me escucháis! ¡Dice bien claro en la Biblia que los hijos tienen que obedecer a su padre, pero vosotros no lo hacéis!». A continuación, Harry empezó a despotricar de toda la familia: nadie le respetaba y por lo que le concernía, el mundo entero se podía ir al infierno. Cuanto más despotricaba, más se enfurecía. Por suerte, una parte de su cerebro conservó un grado suficiente de racionalidad para decir a Harry que se marchara. Harry se fue a pasar la noche a un motel.

Harry admite que tiene un problema con la cólera. A veces se pone tan furioso que se queda bloqueado. Dice: «Cuando la gente no me hace caso, me desprecia o me humilla, me pongo enseguida furioso. A veces la cólera es como una bomba en mi interior a punto de explotar, y otras veces me parece como si me hubieran exprimido la vida».

Harry tiene sin duda un problema con la cólera. Pero su cólera es diferente de las cóleras que hemos descrito hasta ahora en este libro. No está relacionada con el peligro físico (cólera de supervivencia); tampoco sucede porque Harry se sienta impotente (cólera de impotencia). La vergüenza de Harry está vinculada a su tremenda susceptibilidad hacia cualquier crítica: no soporta sentirse insultado. A la más ligera crítica reacciona como si alguien le hubiera pegado en un bar. Instantáneamente se indigna, se pone a la defensiva y se vuelve agresivo. Obsérvese que no se trata de que alguien pretenda realmente insultar a Harry: éste se ofende a menudo porque *cree* que le están despreciando. El otro día, sin ir más lejos, Susan le recordó simplemente que al volver a casa comprara algunos pañales para el bebé. Harry contestó: «Esta mañana he dicho que lo haría, ¿no? ¿Te crees que soy idiota? Nunca te fías de mí». Y siguió diez minutos más diciendo lo poco que Susan le respetaba. Estaba tan furioso que fue hasta la tienda pero volvió con las manos vacías.

La cólera de vergüenza

Harry tiene ese tipo de cólera. Siempre que se siente avergonzado, se vuelve inmediatamente colérico. Transforma la vergüenza que siente en cólera porque le es más fácil sentirse furioso que avergonzado. Harry contrarresta el hecho de sentirse mal consigo mismo culpabilizando a los demás. Cambia vergüenza por culpabilidad. Avergüenza a los demás para no sentirse avergonzado él mismo. Ataca porque no sabe cómo defenderse.

Los ataques de cólera de vergüenza pueden ser muy peligrosos. Pueden incluso ser fatales. Se han cometido muchos asesinatos por personas que se han sentido insultadas. A veces estas agresiones ocurren en casa, contra personas a las que el asesino ama. A veces, la mujer dice algo al marido (o viceversa) que le avergüenza y cinco minutos más tarde alguien ha muerto. Sin embargo, lo más frecuente es que los que sufren ataques de cólera por motivos de vergüenza dejen a todo el mundo emocionalmente herido y agotado. Las víctimas de ese ataque acaban además tremendamente confusas. ¿Qué ha pasado? ¿Por qué me dijiste esas cosas tan terribles? ¿Por qué te ofendiste tanto, si yo sólo te hice una simple pregunta? ¿Cómo puedo decirte las cosas para que no parezcan una crítica? Y, lo que tal vez sea más doloroso, ¿qué pasa contigo?

Bien, algo va mal cuando una sensación de vergüenza se convierte en un ataque cólera. Para ver cómo sucede eso, es importante comprender el sentimiento de vergüenza.

Vergüenza

La vergüenza es tanto un sentimiento como una creencia. El sentimiento es muy desagradable: los que lo sufren suelen contar que notan que enrojecen, que quisieran salir corriendo pero que están como paralizados, incapaces de mirar a la cara a nadie, que pierden la entereza y se sienten terriblemente débiles e impotentes, totalmente expuestos a la fiscalización y la crítica de la gente y que interiormente se vienen abajo. Este sentimiento puede ser insoportable, por ello los afectados buscan maneras de salir de él, entre ellas la de convertir la vergüenza en cólera.

La idea que acompaña a la vergüenza es la creencia de que uno es de algún modo deficiente, que está averiado, que no sirve, que es un cero a la izquierda, inútil, feo y despreciable. Cuanta mayor es la vergüenza, tanto más imposible parece superarla. Finalmente, las personas que se sienten profundamente avergonzadas llegan a creerse estos mensajes:

- «No soy bueno.»
- «No soy suficientemente bueno.»
- «Soy antipático.»
- «No me aceptan.»
- «No debería existir.»

Son mensajes terriblemente dañinos. Las personas que piensan eso de sí mismas sufren mucho. Se ven a sí mismas como completas perdedoras.

La vergüenza afecta al comportamiento. Las personas profundamente avergonzadas suelen evitar a los demás. Están seguras de que todo el mundo se dará cuenta de sus defectos. Puede que ni siquiera deseen hablar consigo mismas por la misma razón. Y, al igual que Harry, pueden ser muy susceptibles, lo que hace que sean impredecibles y resulte difícil convivir con ellas.

La vergüenza tiene además un componente espiritual. Los individuos sumamente vergonzosos sienten a menudo que no cuentan con apoyo espiritual. Se juzgan a sí mismos indignos de amor o respeto, creen que son un error de la creación. Debido a ello suelen sentirse interiormente vacíos.

La vergüenza hace que uno desee esconderse

La manera instintiva de reaccionar frente a la cólera es huir o querer esconderse. Lo que se pretende es hacerse invisible, para que nadie vea sus defectos. Ese deseo natural de recluirse ayuda a las personas vergonzosas a sentirse más seguras. Sin embargo, hacer mutis por el foro cuando se siente avergonzado tiene un precio: se lleva consigo los sentimientos de debilidad y fragilidad. Además, los estudios realizados sobre la vergüenza demuestran que las personas que se sienten profundamente avergonzadas son malos comunicadores. Los problemas de comunicación no se solventan huyendo. Es cierto que la vergüenza profunda es un sentimiento atroz, pero no se aprende a afrontar la vergüenza si lo único que hace es huir. Esa huida es el desencadenante de una espiral autodestructiva. Cuanto más se huye de la vergüenza, peor se siente uno consigo mismo (pues escapar de cualquier cosa es de por sí un signo de flaqueza). Cuanto peor se siente uno consigo mismo, tanto más huye de cualquier cosa que le avergüence. Eso hace que se sea más susceptible a la vergüenza, de modo que incidentes cada vez más pequeños desencadenan sentimientos de vergüenza cada vez más fuertes. Finalmente, un incidente minúsculo origina una vorágine de vergüenza.

Eso fue lo que le sucedió a Harry. Llegó a estar tan sensibilizado por el sentimiento de vergüenza que tergiversó por completo la inocente pregunta del cliente: «Harry, ¿cuánto tiempo vas a trabajar hoy?». Harry entendió: «Harry, sé a qué juegas. Estás intentando perder el tiempo. Eres patético. Debería darte vergüenza». Frente a la vergüenza actuó huyendo, pero antes agredió a su cliente insultándole. ¿Por qué?

De la vergüenza a la cólera

La vergüenza siempre hace que uno se sienta fatal. Es desastrosa incluso cuando se está preparado, aunque en ese caso al menos puede controlar un poco el daño interior. Sin embargo, Harry no estaba en absoluto preparado. Estaba a punto de concluir su jornada de trabajo y sintió una especie de ataque repentino e imprevisto. Sintió una vergüenza instantánea, intolerable. Se sintió profundamente afectado. Era una vergüenza tal que no podía soportarla. Tenía que huir de ella lo más rápidamente posible.

Hay un modo mágico de escapar de algo que uno no desea: traspasarlo a otra persona. «Yo no quiero esto, quédate tú con ello». Y eso es lo que intentó Harry antes de hacer mutis por el foro. Es como devolver un regalo de Navidad no deseado a quien nos lo ha hecho; Harry devolvió la vergüenza a quien le avergonzó, pues antes de irse tenía que deshacerse al menos de una parte de la vergüenza, y lo hizo humillando al cliente. Su vergüenza era demasiado dolorosa de aceptar. Al sentirse atacado, Harry se convirtió en agresor.

La reacción de Harry consistiría en una simple respuesta vergüenza-cólera si no hubiera algo más. Pero había algo más. De hecho, hay magia en esa respuesta vergüenza-cólera, magia mental y emocional. Se trata de un juego mental, no de un juego de manos. Si le preguntáramos a Harry qué sintió al preguntarle el cliente cuánto rato estaría trabajando, diría: «¡Hombre, me enfadé! Me sentí fatal. Me puse muy, pero que muy furioso». ¿Se da cuenta el lector de lo que está ocultando? Harry ni nombra la vergüenza. Eso se debe a que transforma tan rápidamente la vergüenza en cólera que no es consciente de esa vergüenza que siente. Su cuerpo sintió realmente vergüenza, por eso reaccionó tan abruptamente; no obstante, lo único que percibió Harry fue la cólera inmediata. Apartó el sentimiento de vergüenza de su conciencia y lo reemplazó por la cólera.

Harry hace todo lo que puede por rehuir la vergüenza que siente. De vuelta a casa no hizo otra cosa que pensar en lo estúpido que era el cliente y en cómo se lo había hecho saber directamente. Nunca utilizaría la palabra «vergüenza» para describir lo que siente. Pero se siente avieso, agotado y vulnerable. No es de extrañar que se sintiera ofendido por las primeras palabras que dijo su mujer: ¡más vergüenza! Por ello la emprendió entonces con ella y después con los niños. Harry está atrapado por un sentimiento terrible que no puede ni siquiera nombrar. Está lleno de vergüenza.

El mensaje vergüenza-cólera es terrible: «Me estás avergonzando. Eso que me dices me hace sentir débil e impotente. Estoy humillado. Siento que intentas destruirme. No puedo permitir que eso ocurra. Tengo que atacarte. Tengo que avergonzarte. Tengo que hacer que te quedes con mi vergüenza antes de que ella acabe conmigo. Tengo que hacerte sentir aún más débil que yo. Tal vez tenga incluso que destruirte.»

¿Es usted propenso a la cólera de vergüenza?

La cólera de vergüenza es una cólera terrible y peligrosa. Si una persona tiene episodios de este tipo de cólera es importante que los reconozca, pues de lo contrario no podrá detenerlos. Por ello debe formularse las siguientes preguntas:

- ¿Le dicen que es demasiado susceptible?

- ¿Le suelen decir que no entienden por qué le preocupa tanto lo que le han dicho?

- ¿Se pone furioso si cree que la gente le falta al respeto?

- ¿Defiende enérgicamente su reputación, su buen nombre?

- ¿Le preocupa a menudo que otros piensen que es tonto, despreciable, feo o incompetente?

- ¿Pierde totalmente los papeles cuando por ejemplo alguien comenta algo que ha hecho mal?

- ¿Se queda pensando en los desaires que cree que le han hecho?

- ¿Se encoleriza cuando se siente ignorado?

- ¿Le es más fácil enfrentarse a la cólera, incluso a la cólera profunda, que a sentir vergüenza?

- ¿Percibe que transforma el sentimiento de vergüenza en enfado o cólera?

Cuantas más respuestas afirmativas, tanto más probable es que tenga problemas con este tipo de cólera. En el resto del capítulo se describe cómo prevenir y contener la cólera de vergüenza.

Cólera indomable derivada de la vergüenza

Si se experimenta un tipo de cólera de vergüenza, se vive con una bestia indómita en la cabeza. Se trata de una criatura peligrosa, especialmente si aparece de forma repentina. Es tan peligrosa que puede llegar a matar. Es además impredecible, de modo que no se sabe nunca qué puede desatar su furia. No debe permitir que ese monstruo aceche a la presa. Hay que buscar un modo de contener la cólera y dominarla para poder recuperar el control sobre vida.

Afortunadamente, hay nueve pasos que podemos dar para domar la cólera de vergüenza.

Paso 1. *Contraer de inmediato el compromiso de controlar la cólera de vergüenza.*

Harry lo ha hecho. Como dicen en el grupo de Alcohólicos Anónimos, está harto y cansado de estar harto y cansado. Sobre todo ha empezado a odiarse a sí mismo por sus ataques de cólera. «Estoy tirando piedras contra mi propio tejado», dice. Tiene razón también en eso. Sus ataques están destruyendo lo más importante para él: su matrimonio, la relación con sus hijos, su profesión. Al igual que muchos coléricos, Harry se ha aferrado a la idea de que no puede controlar esos ataques de cólera extrema. Hasta ahora lo único que ha hecho es disculparse después de cada episodio, pero eso de «Lo siento. No sé por qué te he gritado. No quería decir lo que te dije», se desgasta con el tiempo. Además, Harry no puede acabar con la vergüenza que siente si sigue haciendo cosas que le hacen sentirse cada vez peor.

Harry está dispuesto a comprometerse firmemente a cambiar. En primer lugar, no debe concederse ni un respiro. Eso significa no aceptar ninguna excusa por tener un ataque de cólera. Nada de «Tuve un mal día» o «Lo que me dijo fue lo que me sacó de quicio». Nada de «No pude evitarlo» o «Sé que no debería haberlo hecho...». Y, sobre todo, nada de «Voy a intentar dejar de encolerizarme». Intentarlo no funciona. Harry tiene que comprometerse a prevenir de una vez por todas esos episodios de cólera.

Por supuesto, hace falta algo más que un compromiso consigo mismo para dejar de encolerizarse. Por ello, a continuación se describen varios pasos adicionales. Sin embargo, cuando uno se enfrenta a esos episodios es absolutamente necesario comprometerse firmemente.

¿Qué sucede si Harry no cumple esa promesa? ¿Qué ocurre si tiene otro ataque? Entonces deberá hacer todo lo que esté en su mano por averiguar qué ha sucedido. Debe reparar todo el daño que ha hecho. Y debe seguir esforzándose por cambiar su modo de pensar, hablar y actuar hasta verse libre de esa cólera.

He aquí un escrito con la promesa de acabar con los ataques de cólera de vergüenza. Escriba su nombre en el espacio en blanco.

Yo, _____, prometo en el día de hoy acabar con mi cólera. Me abstendré de encolerizarme contra nadie, especialmente contra la gente que amo. Si me siento avergonzado porque alguien haga o diga algo que me atañe personalmente, me marcharé hasta que pueda controlar el impulso agresivo. No utilizaré ninguna excusa para acusar, culpar o despreciar a los demás.

¿Hasta qué punto es importante este compromiso para usted? ¿Necesita hacer esta promesa hoy mismo?

Paso 2. *Rastrear la vía que conduce de la vergüenza a la cólera hasta llegar a los propios pensamientos y sentimientos de vergüenza.*

Parece que la cólera de vergüenza surge casi siempre a causa de lo que dice o hace otra persona, pero en realidad el proceso es bastante más complicado. El auténtico desencadenante de ese tipo de episodio es algo que se lleva dentro de la cabeza. Por ello, si se quiere aprender lo más posible acerca de la propia cólera, habrá que aprender lo más posible sobre las propias ideas y los propios sentimientos. Para hacerlo, hay que ser como un explorador que, habiéndose perdido, encuentra el camino de vuelta a casa volviendo sobre sus pasos.

Imaginemos que observamos desde fuera de nosotros mismos que empezamos a sufrir un ataque de cólera. ¿Qué veríamos? ¿Y si pudiéramos oír nuestros pensamientos como si vinieran de otra persona? ¿Qué oiríamos? Para acabar con los ataques de cólera, deberá observarse a sí mismo. Y lo que es más importante: deberá saber qué es lo que ocurre en su cerebro en el momento antes de montar en cólera.

Puede ser doloroso mirarse por dentro, sobre todo si se tienen sentimientos de vergüenza. ¿Quién quisiera darse cuenta de los momentos en que se encuentra mal consigo mismo? La tentación es centrarse en la otra persona y culparle de que se sienta mal, pero no hay que ocuparse de los demás, sino de uno mismo.

Sin embargo, es más fácil, desde fuera, empezar por el final del camino que va de la vergüenza al ataque de cólera. Desde ahí se puede ver qué es lo que desencadena la cólera de vergüenza. Cuando se es proclive a este tipo de cólera, probablemente hay un conjunto de cosas que pueden decir o dar a entender otras personas y que realmente molestan a uno. Por ejemplo: «Dice que soy egocéntrico.» «Cree que soy un tonto.» «Me ha llamado perezoso.» «Me ignoran por completo.» «Me trata como si fuera idiota.» Obsérvese que son frases muy genéricas. No hablan de un comportamiento particular. En cambio, califican a la persona, mencionan aspectos negativos de la personalidad, cosas que serían difíciles cambiar si fueran ciertas, atacan el centro de nuestro ser. Esos calificativos indican que algo va mal, que hay algo que falla. Son cosas vergonzosas y por eso duelen tanto.

A veces se dicen o hacen realmente cosas así. Incluso puede que alguien trate deliberadamente de avergonzarnos. Hay que enfrentarse a esas personas y pedir que sean respetuosas. Sin embargo, el mero hecho de que alguien diga algo personal no es suficiente para desencadenar una explosión de cólera. Tiene que haber también una voz interior que al menos parcialmente esté de acuerdo con quienes nos acusan. Esa voz, la propia voz, dice: «Vaya, tiene razón. Soy un idiota». Es la voz de la propia vergüenza, que constantemente nos recuerda todos los defectos que tenemos.

Esto demuestra que lo que desencadena un episodio de cólera es aquello que se desarrolla en nuestro interior, no fuera de nosotros. Imaginemos que alguien nos está avergonzando, quizás diciéndonos alguna de esas cosas que hemos mencionado. Al imaginarlo, es probable que se empiecen a tener sentimientos de vergüenza, además de sentirse enojado con el otro, pero en realidad nadie le está insultado: una vez más, el factor crítico es lo que sucede en nuestra cabeza: podemos sentirnos avergonzados sin motivo alguno. Harry creyó que aquel cliente le estaba atacando deliberadamente, pero se equivocaba: quien le estaba atacando era su propia vergüenza. Esa vergüenza le llevó a malinterpretar la pregunta de su cliente.

Cuando uno sigue el rastro que lleva de la cólera a la vergüenza, cruza el puente tendido entre lo que le dicen otros y sus propias ideas de vergüenza. Esas ideas pueden tener muchas formas, por ejemplo: «Estoy lleno de defectos», «Doy pena», «No valgo nada», «Soy sucio», «Soy débil», «Soy una carga», «No soy nada». Pero no hay que pararse ahí, sino continuar por ese camino para llegar finalmente a las cinco afirmaciones básicas de la vergüenza: «No soy bueno.» «No soy lo bastante bueno.» «Soy indeseable.» «No me aceptan.» «Yo no debería existir.»

Ése es el fin del camino. Ahí es donde se originan todos los episodios de la cólera de vergüenza.

Paso 3. *Descubrir cómo suele obviarse temporalmente la vergüenza por medio de la cólera.*

La situación en el origen de la cólera de vergüenza en el cerebro no es nada apacible. Al contrario, se caracteriza por una fuerte polémica. Una parte del yo grita que es un inútil, un ser despreciable, una bola de sebo, un estúpido ignorante, que no es lo bastante bueno, que es un error de la creación. Eso es la vergüenza. La otra parte del yo se tapa los oídos, patalea y grita: «No soy un inútil, no soy estúpido, no soy una bola de sebo, no soy un ignorante. Soy suficientemente bueno. No soy un error de la creación». Eso es la cólera. La cólera quiere acabar desesperadamente con la vergüenza. Al final, la cólera se alza y agarra a la vergüenza por el cuello. La sacude y la retuerce como un campeón de lucha libre. Entonces, arroja la vergüenza fuera del cuadrilátero, la expulsa totalmente de la propia mente.

¿Sabe dónde aterriza esa vergüenza? Justo en el regazo de otra persona. «¡Ajajá! –dice el cerebro–, lo sabía, no soy yo el vergonzoso, es él, es ella, son ellos.» Ahora desea decir a la gente todas las cosas terribles que la propia vergüenza solía decir de uno mismo: son ellos los horribles, los tontos, los inútiles y los malos. Los ataca sin darse cuenta de que en realidad se está atacando a sí mismo. Esto funciona durante un tiempo.

La persona se siente poderosa, fuerte, en el puesto de mando. No uno, sino los demás son los débiles e inútiles.

Con todo, hay una trampa: la vergüenza es lista, tiene un medio para volver entrar a hurtadillas en nuestro cerebro. En cualquier momento puede aparecer de nuevo al final del camino. Y uno volverá a librar la misma batalla, generalmente con el mismo resultado. Mientras, al igual que Harry, te pueden echar del trabajo y puedes perder la familia.

Paso 4. *Recuperar la vergüenza para romper con la reacción de cólera.*

Sólo hay una manera de poner fin a todo esto. No es fácil. Hay que hacer escuchar a la parte de la propia personalidad que se ataca, la que dice que uno es penoso. No hay alternativa: o bien nos enfrentamos a la vergüenza interior, o bien seguimos arriesgándonos a tener más ataques de cólera de vergüenza. No se trata de ir y abrazarse a la vergüenza como si fuera un hermano al que se daba por perdido. No hay que confraternizar con algo que hace sentirnos tan mal. Tan sólo hay que aceptarlo, escuchar los mensajes. Después de todo, esa vergüenza interior ha formado parte de la propia vida durante mucho tiempo. La única diferencia es que ahora estamos dispuestos a prestarle atención.

Puede sobrevivir y sobrevivirá enfrentándose a la propia vergüenza. No le destruirá. ¿Por qué hago hincapié en ello? Pues porque la vergüenza profunda es intimidatoria, puede parecer demasiado potente como para enfrentarse a ella. Ahí es donde radica su verdadera fuerza: se suele convertir la vergüenza en rabia porque se duda secretamente de que se pueda convivir con esos terribles sentimientos de vergüenza. En cierto modo no se trata de la vergüenza en sí, sino del miedo a la vergüenza que desencadena ataques de cólera. Una vez que sabe que puede sobrevivir a la vergüenza, es capaz de controlarla mejor. Sobre todo, se puede mantener controlada conscientemente la propia vergüenza.

En la práctica, esto significa que ha de preguntarse siempre una cosa cuando nota que se está poniendo realmente furioso: «Eh, espera un momento, ¿tiene esto que ver con mi vergüenza?». Después hay que tomarse un tiempo para pensar en ello. Despacio, con cuidado, hay que rastrear el camino de la vergüenza hasta llegar a los cinco mensajes básicos anteriormente citados. Pero hay que recordar asimismo otra idea importante más: el mero hecho de que una parte de la propia personalidad diga que es penoso no hace que eso sea cierto.

Paso 5. *Cuestionar a la validez de los cinco mensajes básicos de la vergüenza.*

Hasta ahora hemos examinado cuidadosamente cómo los sentimientos de vergüenza se convierten en cólera. Todo eso es útil, pero ahora vamos a abordar lo más importante que hay que hacer para detener los ataques de cólera de vergüenza: hay que enfrentarse conscientemente al sentimiento de vergüenza. Es hora de hacer frente a los pensamientos negativos y vergonzantes que tiene en la cabeza. Es preciso reemplazarlos por pensamientos curativos. Cada uno de esos mensajes vergonzantes internos tiene que ser sustituido por un mensaje más sano que no desencadene ningún episodio de cólera. Para ello, lo mejor es centrarse en los cinco mensajes básicos de la vergüenza y darles la vuelta para convertirlos en su contrario.

- Pasar del «No soy bueno» al «Soy bueno».
- Pasar del «No soy lo bastante bueno» al «Soy lo bastante bueno».
- Pasar del «Soy indeseable» al «Soy querido y deseado».
- Pasar del «No me aceptan» al «Soy aceptado».
- Pasar del «Yo no debería existir» al «Existo».

Sería buena idea pronunciar ahora mismo esas cinco frases positivas en voz alta, lentamente y repitiéndolas varias veces. ¿Cuál de esas frases positivas nos parece muy cierta? ¿Cuál consideramos relativamente cierta? ¿Hay alguna que le suene totalmente falsa? Tendremos que fijarnos sobre todo en las frases que nos parezcan menos ciertas para poder llegar a aceptarlas.

El siguiente paso es pensar en otras ideas relacionas con éstas y que hace falta cambiar. Por ejemplo, tal vez haya que cambiar «Soy feo» por «Soy guapo». Si «Soy guapo» es demasiado pedir en este momento, quizás nos valga «Tampoco estoy tan mal» o «Soy bastante atractivo», o «Soy quien soy». Conviene probar con muchas frases positivas hasta conseguir unas cuantas que le parezcan útiles y curativas. Después hay que seguir repitiéndolas cada día, de modo que el cerebro adquiera el hábito de mirarnos por el lado positivo.

Enfrentarse a los pensamientos vergonzantes puede ser frustrante. No conozco a nadie que haya pasado directamente del «No soy bueno» al «Soy bueno». Se puede encontrar muy bueno un día y odiarse el día siguiente. Este proceso puede iniciarse en cualquier momento, pero puede necesitar toda una vida para completarlo. Hay que ser condescendiente con uno mismo en este nuevo camino de confianza y aceptación.

¿Cómo hacerlo? Con paciencia, con calma. Con optimismo. Afortunadamente, puede llegar a sentirse un poco mejor consigo mismo por el mero hecho de moverse por ese camino. El camino en sí ya ayuda a curar.

A continuación, unas cuantas preguntas que le ayudarán a sentirse menos avergonzado y más satisfecho consigo mismo:

- ¿Qué pensamientos tiene que le ayudan a creer en su propia bondad intrínseca?

- ¿Qué nuevos pensamientos cree que también pueden ayudarle en ese aspecto?

- ¿Qué hace que le pueda ayudar a pensar que está aportando algo al mundo?

- ¿Qué personas que conoce le respetan, le elogian o le muestran su aprecio regularmente?

- ¿Cómo se muestra usted amable consigo mismo y se acepta y se perdona?

- ¿De qué otro modo podría ser más amable consigo mismo y aceptarse y perdonarse?

Paso 6. *Tratar siempre a los demás con respeto y dignidad.*

Si se tienen ataques de cólera de vergüenza es muy fácil concentrarse tan sólo en cómo le tratan los demás. «¿Me respetan?, ¿me desprecian?, ¿me ignoran?» De este modo, puede llegar a volverse paranoico y buscar constantemente pequeños indicios de que los demás le están tratando mal. Pero hay algo mejor a lo que dedicar nuestro tiempo: por ejemplo, a esforzarnos por tratar respetuosamente a los demás. De ese modo, en el fondo damos a los otros aquello que más nos gusta recibir. Además, en última instancia la generosidad nos beneficiará mucho. En primer lugar, pensará menos en las propias preocupaciones y dudas sobre sí mismo. En segundo lugar, es probable que las personas a las que uno trata amablemente le devuelvan el favor. Si no avergonzamos a los demás, lo más probable es que no nos avergüencen a nosotros. Y, en tercer lugar, seguramente uno se sentirá mejor consigo mismo si actúa con gentileza. Esto le ayudará a librarse de la vergüenza que conduce a los ataques de cólera.

Tratemos de concretar y veamos a continuación unas cuantas ideas sobre el modo de tratar a otros con respeto:

Comencemos el día con el firme propósito de tratar respetuosamente a todo el mundo, al margen de lo que digan o hagan. De este modo, somos nosotros los que controlamos nuestros actos, no otras personas.

Busquemos la bondad interior que hay en cada persona que nos rodea. El respeto de los demás se basa en el aprecio que les tenemos como seres humanos. Observemos detenidamente como cada persona es única, valiosa y admirable. Con ello responderemos a su necesidad de sentir que «existo» con un «sí, existes y eso es bueno». Así le ayudamos a celebrar su existencia.

Asegurémonos de decir a los demás, especialmente a las personas más cercanas, que son buenas, lo bastante buenas, y que las queremos. Ayudémoslas a sentir que tienen un sitio (en nuestra familia, en el universo, en nuestro corazón). No dejemos que esas palabras se nos atasquen en la garganta. Hacen mucho más bien cuando se pronuncian en voz alta que cuando uno se las guarda en la cabeza.

Es útil aplicar las «cinco A» siguientes para tratar a los demás con respeto (Potter-Efron, 2001). La letra A es de gran ayuda para pensar sobre el respeto: hay por lo menos cinco palabras que comienzan por A y muestran la manera de ser respetuosos.

Atención: «Te escucharé con paciencia. Te dedicaré toda mi atención».

Aprecio: «Me gusta lo que haces. Me gusta cómo haces las cosas».

Aceptación: «No hace falta que cambies. Estás bien siendo como eres».

Admiración: «Aprendo de ti. Haces las cosas con gracia y estilo».

Afirmación: «Estoy contento de que formes parte de mi vida. ¡Qué bien que existas!».

Recordar estas cinco palabras nos ayudará a ser más respetuosos con los demás. Se pueden utilizar a modo de lista de comprobación mental: «¿He prestado hoy atención a otras personas? ¿Les he mostrado mi aprecio? ¿Me he mostrado abierto con ellas? ¿He estado dispuesto hoy a aprender de otra persona? ¿He afirmado valoraciones positivas?».

Paso 7. *Elogiar en vez de criticar.*

¿Qué hizo Harry en pleno ataque de cólera? Criticó severamente a su cliente, a su mujer y a sus hijos. Esto es típico: la crítica es el arma principal en el arsenal de la persona avergonzada. De hecho, criticar a los demás se convierte en un hábito de autoafirmación. Siempre se puede encontrar algo malo en las personas si eso es lo que se busca. El problema es que mostrarse tan negativo con los demás sólo nos predispone a sufrir nuevos ataques de cólera. Si lo único que se ve en los demás es el lado malo, se empieza a creer que van a hacernos daño. Afortunadamente, hay un modo de romper con el hábito de la crítica: hay que aprender a elogiar en vez de criticar, ver las cosas buenas en vez de las malas. El elogio es en cierto modo lo contrario de la vergüenza: mientras que las acusaciones y críticas hacen que las personas se sientan débiles e insignificantes, al elogiarlas se sienten fuertes e importantes.

Cuando se sufren ataques de cólera de vergüenza, elogiar a los demás es bastante más que un acto de generosidad o un modo de ser amable. Es una manera de prevenir el desarrollo de esos ataques. Debemos recordar que aquellos que tienen ataques de cólera de vergüenza intentan traspasar la propia vergüenza a los demás. Criticar constantemente a los demás no es sino una desviación del trabajo real que uno necesita llevar a cabo, a saber, aprender a encontrar la manera de llegar a aceptarse y apreciarse más a sí mismo. El mensaje que recibe la persona que sufre este tipo de cólera parece éste: «Tú eres malo y yo soy bueno». Pero en realidad es éste: «Soy malo, pero no quiero reconocerlo».

Hay muchas maneras de alabar a las personas. Primero hay que apreciar sus logros, sus esfuerzos, sus detalles, su creatividad, su generosidad, su aspecto, su individualidad y su inteligencia. Después hay que hablarles de ellos. Al hacerlo, debemos asegurarnos de no añadir un «pero», como por ejemplo: «Tienes el cabello muy bonito, pero...». Si queremos

135

que nos crean el elogio no debemos utilizarlo de puerta de entrada para la crítica.

Hay que adoptar el hábito de alabar a los demás. Eso nos ayudará en el esfuerzo aún más arduo de llegar a apreciarnos a nosotros mismos. A la larga, ése es el único modo de librarse de la cólera de vergüenza.

Paso 8. *Rodearse de personas que nos traten con respeto.*

Muchas de las personas, por no decir la mayoría, que sufren este tipo de cólera han crecido rodeados de dolor. Es posible que sus familias estuvieran marcadas por el alcoholismo, una pobreza extrema, problemas de salud mental o alguna enfermedad. De niños pueden haber sido objeto de maltratos físicos o abusos sexuales. Tal vez esas personas hayan sido los chivos expiatorios que han cargado con la culpa de esas lacras familiares. Es posible que sus padres hayan sido críticos, hostiles o negligentes con ellos. En otras palabras, han crecido en familias en las que la vergüenza y la inculpación eran la norma.

Por todo ello es muy importante rodearse de personas que nos traten con respeto. No conviene que los coléricos estén continuamente inmersos en un ambiente negativo. No es bueno para su salud; es más, en estas circunstancias es más probable que sufran ataques de cólera. Después de todo, es mucho más fácil encolerizarse con alguien que nos ha mostrado su menosprecio que con alguien que es respetuoso.

Si se es una persona colérica, primero hay que trabajar sobre uno mismo: no es cuestión de ir diciendo a los demás que deben comportarse bien cuando eso es lo que debería hacer uno mismo. Sin embargo, es normal que espere que los otros le traten dignamente. En realidad, eso es muy importante. Nadie progresa en un ambiente de críticas y acusaciones. Francamente, es mucho más difícil acabar con esos ataques de cólera cuando la incriminación y la vergüenza envuelven a una familia como una densa niebla. He aquí por tanto la secuencia lógica de los acontecimientos: primero hay que hacer todo lo que pueda por superar la vergüenza; tratar siempre a los demás con respeto; pedir a los demás, esperar de ellos y, si hace falta, insistir en que sean respetuosos; plantearse seriamente la posibilidad de abandonar situaciones en las que quienes le rodean sigan avergonzando, culpando, mostrándose hostiles o negligentes; rodearse del mayor número posible de personas de mentalidad positiva, amables y respetuosas. Hacerse coleccionista de personas buenas. Pero no olvidemos que uno mismo debe ser también un modelo de bondad.

Paso 9. *Estar atentos a cualquier signo de descontrol de la cólera de vergüenza.*

El objetivo de estos pasos es el de prevenir los ataques de cólera de vergüenza. Sobre todo, hay que emplearse a fondo para acrecentar la autoestima personal. Se tiene que dar la espalda al odio vergonzante hacia uno mismo y tomar la vía de la autovaloración positiva como persona buena y válida. Quizás sea un largo viaje, pero cada paso que se dé hacia la autoaceptación y la autoestima reducirá el riesgo de caer en la cólera. Mientras tanto, sin embargo, habrá que mantenerse en guardia a fin de controlar cualquier indicio de que se va en la dirección equivocada, de vuelta a la cólera. Una manera de hacerlo consiste en elaborar una lista de indicadores de un ataque de cólera. Se trata de anotar cosas que ha pensado, ha sentido o ha hecho minutos u horas antes de sufrir el ataque de cólera. Esta lista podría presentarse así:

— **Pensamientos que anuncian un ataque de cólera de vergüenza:** «No me aprecia». «No valgo nada.» «Cree que es mejor que yo.» «Me odio». «¿De qué sirve?» «Son imbéciles.» «¿Qué se creen que son?»

— **Sentimientos que anuncian un ataque de cólera de vergüenza:** «Estoy muy tenso». «Me siento extraño.» «Noto que me invade la cólera.» «Estoy perdiendo el control.»

— **Acciones que anuncian un ataque de cólera de vergüenza:** «Empiezo a volverme mezquino». «Estoy acelerándome otra vez.» «Estoy gritando.»

A veces los indicios se presentan con bastante antelación, incluso días antes del episodio de cólera. Suelen ser bastante vagos y generalizados, del tipo «No me siento bien» o «Uy, me parece que voy a tener problemas». Puede sentirse en baja forma, algo deprimido. Pero quizás no se trata de una auténtica depresión. Lo que ocurre es que la vergüenza está ya asentada en el cerebro, hace que se sienta débil y triste. Poco después, si las cosas siguen así, llega a sentirse tan mal consigo mismo que necesitará sacar la vergüenza a través de la cólera. Sin embargo, encolerizarse puede evitarse, siempre puede evitarse. Pero hay que darse tiempo y enfrentarse a esos malos pensamientos que tiene hacia sí mismo. Es importante enfrentarse a esa vergüenza cada vez que ésta amenaza con arruinar su vida.

Hay otros indicios que pueden ocurrir tan sólo un minuto o dos antes de la explosión de cólera: una furia repentina; un pensamiento terrible que no se sabe de dónde surge; un sentimiento de venirse abajo. Estos indicios de último momento son como mirar al cielo y ver una terrible tormenta a punto de estallar. Tiene el tiempo justo para buscar refugio si se da prisa. Lo primero es intentar calmarse: respire hondo un par de veces, recuerde que no tiene que empezar a atacar: no hay que dejarse llevar por la cólera; pero si realmente se está a punto de perder el control, conviene tomarse un respiro y apartarse de inmediato de las personas que le rodean.

Suceda lo que suceda, nunca hay que abandonar. No hay que pensar que no se pueden controlar esos ataques de cólera. Hay que seguir luchando por sentirse mejor consigo mismo y con los demás. Ése es el único camino para dejar de lado los ataques de cólera.

8

La cólera de abandono

Bettina: una mujer que tiene miedo a que la abandonen

Bettina es una mujer de cuarenta años de edad que trabaja de jefa de personal de una importante fábrica local.

«Deja de quejarte. Bajé la pistola ¿no?» Esto es lo primero que dice Bettina a su pareja, Mason, con quien está casada desde hace dos años, cuando éste intenta explicarle por qué van a ver a un psicólogo de familia. «Sí –contesta Mason–, pero me asustaste mucho. Estabas como loca. Pensé que ibas a apretar el gatillo.» «Sí –admite ella–, pero tú dijiste que pensabas dejarme.» Para Bettina, por lo visto, eso era suficiente para justificar cualquier cosa que hiciera, incluso un asesinato.

Como cabe suponer, ésta no es la primera vez que Bettina ha montado en cólera durante su relación con Mason. Otras veces, y repetidamente, le ha tirado de los pelos, lo ha encerrado en casa, dejado en la calle, abofeteado y escupido. Bettina también es extremadamente celosa, amenaza a Mason con hacerle picadillo por poco que le pille siquiera mirando a alguna otra mujer. Acusa a muchas mujeres de intentar seducir a Mason, pero finalmente le echa la culpa a él diciéndole que se va detrás de cualquier falda. Mason le es totalmente fiel, ni siquiera se le ha ocurrido engañarla, pero no parece que Bettina lo haya interiorizado. Ella está totalmente convencida de que, tarde o temprano, él tendrá algún lío «porque eso es lo que hacen todos los hombres».

Bettina ha tenido el mismo problema en todas sus relaciones de pareja. De hecho, admite que aleja a los hombres con su dependencia, sus celos irracionales y su inseguridad. Reconoce que ella misma es la que se ha creado su propia infelicidad y que no puede dejar de hacerlo. «Me detesto por ser así. Sé que asusto a los hombres. Pero no soporto estar sola. Me siento demasiado vacía. Cuando Mason me dice que necesita un espacio para él, siento que me muero. Me acobardo. Enloquezco. Me acuerdo de las veces que me han dejado y de las veces que me han engañado y me pongo furiosa. Me salgo de mis casillas. Es como si quisiera hacerle pagar por todas las veces que me abandonaron.»

¿De dónde vienen las historias de abandono de Bettina? Se remontan a la infancia. Lo último que Bettina recuerda de su padre es verle hacer las maletas y marcharse sin decir una palabra, cuando ella tenía siete años. Aunque su padre nunca formó realmente parte de su vida: estaba por casa unos días o unas semanas, después se iba y volvía a aparecer de modo imprevisto, y así durante toda su primera infancia. A veces le prometía que las cosas cambiarían, que se quedaría con su hijita, pero nunca lo hizo. Bettina dejó de creerle después de que incumpliera varias de esas promesas.

La madre de Bettina tampoco era nadie en quien se pudiera confiar. Se convirtió en una adicta al alcohol y a los alcohólicos, especialmente después de que el padre de Bettina se fuera definitivamente. Eso significaba que a veces Bettina se quedaba sola toda la noche, sintiéndose insegura. Aunque siempre era mejor eso a que su madre apareciera a las tres de la mañana con un amigo borracho. Bettina entonces se encerraba en su habitación, no porque tuviera miedo de que abusaran de ella, sino porque le aterraba volver a oír al amigo de turno que cuidaría de ella y de su madre y después se iba al cabo de unas horas o de unos días.

Bettina sigue unas pautas de cólera muy definidas. Sin embargo, conviene observar la diferencia entre los ataques de cólera de Bettina y los demás tipos de cólera de los que hemos hablado en capítulos anteriores. A Bettina no le preocupa un peligro físico (cólera de supervivencia). Aunque realmente no siente que controla la situación, no se siente impotente frente a ella (cólera de impotencia). Tampoco la vergüenza es la causa de su cólera. La verdadera causa de la cólera de Bettina es el miedo, más bien el terror, al abandono.

La cólera de abandono es un sentimiento de furia inmenso ocasionado por miedos reales o imaginarios a ser abandonado, traicionado o despreciado.

La cólera de abandono se inicia en la infancia

John Bowlby, un brillante investigador que vivió en Inglaterra en el siglo XX, es el padre de lo que se ha llegado a conocer como la *teoría del apego* (Bowlby 1969, 1973, 1980). Este investigador descubrió que los niños pequeños toman decisiones sólidas y duraderas sobre lo seguro que es y será el mundo. Aunque no pueden expresarlo con palabras, los niños se preguntan a sí mismos cosas como éstas:

- ¿Puedo confiar en que aquellos que me cuidan estarán cuando los necesite?
- Los que dicen que me cuidan, ¿me tratarán bien o mal?
- ¿Puedo confiar en que las personas que me cuidan cumplan sus promesas?
- ¿Son seguras o peligrosas? Me protegen de los peligros, ¿o son ellas mismas un peligro?
- ¿Son o no son constantes?
- ¿Permanecerán junto a mí o me abandonarán?
- ¿Me querrán total e incondicionalmente o si digo o hago algo que no les guste dejarán de quererme?
- ¿Hasta qué punto las personas son totalmente seguras o inseguras? ¿Hasta qué punto el mundo es seguro o inseguro?

Estas preguntas pueden reducirse a una sola: «¿Hasta qué punto puedo depender de las personas que deberían amarme y cuidarme?».

Curiosamente, los niños deciden las respuestas a estas preguntas más o menos a los dieciocho meses de edad. Forman lo que se denomina *modelo operativo interno* de la realidad (Bowlby 1969, 1973, 1980). Ese modelo actúa en sus mentes como un molde para galletas o como una plantilla. A partir de ese modelo, los niños esperan que las personas que deben amarlos o cuidarlos actúen según el patrón que se han formado. Bettina, por ejemplo, decidió hace mucho tiempo que no podía confiar en nadie, al menos en los hombres que le decían que podía contar con ellos. Está segura en lo más profundo de su ser de que todos los hombres, al igual que su padre, le harán promesas que des-

141

pués no cumplirán y finalmente acabarán por dejarla. De hecho, está tan convencida de ello que ningún detalle bonito que tiene Mason con ella le llega al corazón. La fidelidad de Mason no significa nada para ella, pues, al final, por muy digno de confianza que él parezca, puede engañarla o dejarla tirada. Según Bettina, ella ya había hecho otras inversiones emocionales en gente que no le correspondió. No es de sorprender que esté atemorizada y furiosa.

Antes de proseguir, quizás el lector desee revisar las preguntas anteriores. Tómese unos cuantos minutos para contestarlas cuidadosamente. Pero no se limite a pensar en ellas. En vez de ello, analice cómo se siente ante cada pregunta. Preste especial atención a la última: «¿Hasta qué punto puedo depender de las personas de deberían amarme y cuidarme?». La respuesta a esta pregunta es muy reveladora con respecto a su propensión a sufrir ataques de cólera de abandono.

Los niños no dejan marchar a quienes cuidan de ellos sin oponer resistencia

«Me acuerdo de cuando Pat, mi mujer, y yo intentábamos ir al cine cuando nuestra primera hija, Cindy, tenía alrededor de un año. A la niña no le gustaba nada. Primero se aferraba a nuestro cuello. Si eso no funcionaba, se ponía roja. Lloraba. Chillaba. Peleaba. No había quien la consolara. Y no paraba. Finalmente, la canguro nos decía que nos marcháramos. Nos íbamos sintiéndonos muy culpables. Al final dejaba de llorar, decía la canguro, pero sólo al cabo de quince minutos.»

Para entender todo esto, hay que ponerse en la mente de un niño. Para Cindy, como para todos los niños de esa edad, no existen las despedidas temporales. ¿Cómo va a entender que papá y mamá volverán al cabo de unas horas si no saben lo que eso significa? Además, los niños pequeños y los de mediana edad no saben estar sin alguien que los cuide. Necesitan que haya adultos en sus vidas. Por ello, ante la pérdida, protestan. Pero decir que los niños «protestan» por la pérdida de aquellos que los cuidan es un eufemismo. Lo que hacen es encolerizarse. Si pudieran expresar con palabras sus emociones dirían cosas así: «¡Cómo te atreves a abandonarme! No te importa si vivo o si muero, ¿verdad? Te odio. Te odio. Pero, por favor, por favor, vuelve porque te necesito muchísimo».

Ése es el razonamiento de la cólera de abandono. Los adultos como Bettina dicen y sienten las mismas cosas que los niños. También protestan por perder a una persona a la que necesitan desesperadamente.

De todos modos, no todos los niños llegan a ser adultos que se encolerizan con tan sólo pensar que los pueden abandonar. Son los niños que, como Bettina, crecen en un entorno inseguro los más propensos a ser coléricos.

Sentirse seguro o sentirse inseguro en una relación

«No me cuesta nada atarme emocionalmente. Me siento a gusto dependiendo de otros y que haya otros que dependan de mí. No me preocupa estar solo o que haya quien no me acepte.» (Feeney, Noller y Hanrahan, 1994).

¿Está el lector de acuerdo con esa afirmación? Es el típico modo de pensar de alguien que se siente confiado y cómodo con su modo de relacionarse. Los expertos que estudian cómo se relacionan unas personas entre sí dicen que quienes están totalmente de acuerdo con esas declaraciones son personas *seguras* (Feeny, Noller y Hanrahan, 1994).

Si se es una persona tan afortunada que ha crecido al menos junto a un progenitor (o junto a un padrastro, un abuelo o abuela, o alguien que le haya proporcionado seguridad), lo más probable es que se sienta segura en sus relaciones. Es decir, confía en que la persona a la que ama no la abandone. Piensa que cumplirá sus promesas. En general, confía en los demás. Por otro lado, lo más probable es que no sienta ansiedad cuando la pareja se ausente durante unas horas, o incluso por más tiempo. Confía totalmente en ella, está segura de que volverá. Está segura de que su pareja quiere compartir su vida. Sin duda puede haber momentos de celos y de inseguridad, pero suelen bastar unas palabras («Cariño, no te preocupes. Volveré tan pronto como pueda. Te quiero») para que vuelva a sentirse segura. Estos sentimientos de seguridad significan que uno no considera necesario protestar a voz en grito cada vez que la pareja se separa unas horas de él. No montará en cólera, desde luego.

Veamos esta otra frase: «Quiero intimar emocionalmente con los demás, pero a veces me encuentro con que los otros son reacios a intimar tanto como yo desearía. No me siento bien si no tengo una relación estrecha, pero a veces me preocupa que los otros no me valoren tanto como yo a ellos» (Feeny, Noller y Hanrahan, 1994). Estas palabras definen lo mucho que algunos llegan a *preocuparse* por sus relaciones personales (Feeny,

Noller y Hanrahan, 1994). Continuamente les inquieta verse abandonadas por las personas a las que ama y necesita. Angustiadas hasta el extremo, se sienten forzadas a estar en contacto permanente con sus parejas. El «no me dejes» es el tema central en sus relaciones sentimentales. A menudo se muestran necesitados, pero se trata de una necesidad exigente, expresada en tono a veces quejoso («Por favor, por favor, no te vayas, no puedo vivir sin ti») y a veces imperioso («No puedes abandonarme. Es intolerable. Insisto en que te quedes»). Ocasionalmente, las parejas de estas personas se sienten agobiadas porque les piden una y otra vez pasar más tiempo juntos. ¿Le suena esto? ¿Cree que esa situación encaja a menudo con usted? ¿Le llegan a obsesionar sus relaciones personales?

Bien, a ver qué le parece esta frase: «No me siento a gusto intimando con los demás. Emocionalmente, deseo tener relaciones personales, pero me resulta difícil confiar en los demás o depender de ellos. Me preocupa que si intimo demasiado resulte vulnerable» (Feeny, Noller y Hanrahan, 1994). Son palabras de un individuo *temeroso* (Feeny, Noller y Hanrahan, 1994). Lo que más temen esas personas es el rechazo. Si bien en un principio los individuos temerosos suelen evitar involucrarse demasiado en una relación, finalmente se enganchan a ella. Sin embargo, sus parejas a menudo los encuentran frágiles y vulnerables. Ello se debe a que son individuos que están convencidos de que finalmente sus parejas los abandonarán. No se ven a sí mismos como «guardianes»: viven cada día al borde de un abismo llamado abandono, a la espera de que sus parejas los empujen al vacío. Por encima de todo son personas desconfiadas. Simplemente les es muy difícil creer que habrá alguien que opte por serles fiel. Esta falta de confianza va minando sus relaciones personales y hace prácticamente imposible que se sientan verdaderamente seguros y estables. Si el lector es así de temeroso, también está viviendo atemorizado, incluso demasiado atemorizado.

¿Qué tipo de apego es el que usted siente?

Las personas somos por lo general demasiado complicadas como para encajar perfectamente en algún modelo de apego. Así pues, podemos asociar sentimientos de seguridad, preocupación o miedo en ocasiones diferentes con la misma persona. Puede ocurrir también que nos sintamos seguros en una relación pero preocupado o temeroso en otra. Con todo, la cuestión clave en nuestro caso es con qué frecuencia se siente preocupado o temeroso en las relaciones estables, y especialmente en este momento. ¿Qué piensa el lector? ¿Con cuál de esos patrones se siente más identificado? ¿Con cuál de ellos en segundo lugar? ¿Y en tercer lugar? ¿Estaría de acuerdo su pareja con esas clasificaciones? Puede usted preguntárselo, pues a veces uno se siente seguro y su pareja lo ve preocupado o temeroso.

Quizás no se esté demasiado seguro del tipo de apego que se tiene. Veamos una manera de descubrirlo: nos preguntaremos cómo afrontaríamos una separación temporal. ¿Qué diría usted si su pareja le dijera más o menos esto: «Cariño, quiero pasar una noche sin ti a la semana». ¿Protestaría usted: «No, de eso nada. ¿Por qué necesitas estar una noche sin mí? ¿Estás pensando en dejarme?». ¿Blandiría el dedo acusador «Lo sabía. Eres como todos. No puedo confiar en ti, ¿verdad?». La pareja le dice: «Cielo, tú sales dos noches por semana. Yo sólo quiero una velada para mí, estar sin niños un rato. Eso no quiere decir que no te quiera». ¿Pierde usted entonces el control: «¡Te odio! ¡No te saldrás con la tuya! ¡Te vas a enterar!». ¿Acaba usted teniendo un ataque de cólera en toda regla?

Éstas son algunas de las cosas que sufren las personas obsesionadas y temerosas con frecuentes ataques de cólera de abandono. ¿Cuántas de ellas le suceden a usted?

- Se pone furioso cuando piensa en la época en que le abandonaron o traicionaron.

- Sufre intensos ataques de celos.

- Busca cosas que demuestren que no puede confiar en las personas que dicen preocuparse por usted.

- No soporta sentirse no reconocido o ignorado por las personas a las que ama.

- Le preocupa sobremanera querer volver con sus padres o con su pareja porque le ignoraron o le traicionaron.

- Se siente engañado por su pareja, sus hijos o sus amigos porque usted les da más amor, cuidados y atenciones de los que recibe.

- Le han contado que una vez se encolerizó tanto que no atendía ni a las razones ni a las palabras de consuelo de las personas con las que se había enfadado.

Si usted suele sentirse obsesionado o temeroso, lo más probable es que casi siempre se sienta inseguro. Ese sentimiento de inseguridad hace que la persona sea más proclive a sentir la cólera de abandono. En lo más profundo de su ser, no cree que su pareja la ame de verdad. Constantemente se cuestiona si la otra persona le es fiel. Constantemente está en estado de alerta, dispuesto a quejarse en voz alta de cualquier cosa que le haga pensar que el otro le va a abandonar. La cólera emerge de una queja básica: «¿Por qué nadie me quiere, me abraza, me consuela y hace que me sienta seguro?».

Si uno es proclive a la cólera de abandono, el resto del capítulo le mostrará cómo evitar esa cólera. Pero antes debe considerar cuál es la causa de que se sienta obsesionado o temeroso. Es probable que haya crecido como Bettina, sin nadie con quien contar en los momentos de necesidad. Puede que sus padres hayan sido incompetentes, imprevisibles o poco dignos de confianza por varias razones: enfermedad; alcoholismo o adicción; desinterés o negligencia; separación forzada por una guerra o por exigencias de trabajo; problemas emocionales, como la depresión, o problemas mentales como la esquizofrenia; separación o divorcio, especialmente cuando los padres impiden que el hijo vea al otro progenitor. La pobreza también puede ser la causa de que los padres no atiendan a las necesidades de los hijos. Si esos problemas empiezan a una edad temprana y continúan durante un largo período, puede ser que se sienta más inseguro que los que han recibido una educación más estable. Se sentirá más proclive a batallar contra la acuciante y terrible sensación de que las personas a las que ama piensen a menudo en abandonarle, quieran realmente abandonarle y sin duda van a abandonarle.

Sin embargo, la infancia no es el único momento en que una persona puede llegar a sentirse insegura. Una relación insana entre adultos puede afectarle gravemente. Tratar de amar a alguien que sin duda miente, engaña y roba es un caldo de cultivo para la inseguridad. Las relaciones personales en general, y no solo la historia familiar, modelan lo que sentimos nuestras relaciones.

¿Cómo puede una persona insegura volverse más segura?

Al utilizar los términos «seguro», «preocupado» y «temeroso» me refiero en este contexto a las ideas profundamente arraigadas sobre el mundo que John Bowlby llamó «modelos operativos internos». (Existe un cuarto tipo de apego llamado *displicente* [Feeney, Noller y Hanrahan, 1994]. Los displicentes no se preocupan demasiado por las relaciones personales. Los auténticos displicentes son muy poco proclives a tener ataques de cólera de abandono, por ello los menciono de pasada.) Los modelos operativos internos son ideas que se forman alrededor del año y medio de vida y que están profundamente enraizadas. Eso significa que las personas preocupadas y temerosas no se sienten repentinamente seguras porque una relación les haya funcionado bien unos días, unos meses o incluso unos años. Por esa misma razón, las personas seguras no se sienten repentinamente inseguras sólo por tener un par de días malos con su pareja.

Por fortuna, tenemos buenas noticias a ese respecto. Hay un gran número de investigaciones que demuestran que con el tiempo las personas pueden cambiar sus pautas de apego. Eso significa que sin importar lo inseguro que se sienta en este momento, no hay razón para pensar que no puede aprender a sentirse mejor consigo mismo y más seguro en sus relaciones. Sin duda, tendrá que ser paciente consigo mismo, pero de manera esperanzada, pues puede llegar a ganar seguridad. En condiciones propicias, el modelo operativo interno de la realidad puede cambiar. Sin embargo, suele hacerlo de modo gradual.

No obstante, tengo que manifestar una reserva: por muy seguro que desee sentirse, no puede pasar de la inseguridad a la seguridad si las experiencias de la vida real siguen teniendo lugar con personas en las que no se puede confiar. Para ganar confianza hay que relacionarse con personas que la merezcan.

Es mucho lo que hay en juego. Si se quiere hacer frente a la cólera de abandono es necesario cambiar el concepto que se tiene internamente de la seguridad de una relación. La fórmula a largo plazo para prevenir esos ataques de furia es sentirse más seguro con uno mismo y con las personas que nos rodean.

Cómo evitar la cólera de abandono

Vamos a ver los siete pasos que hay que seguir para prevenir los ataques de cólera de abandono.

Paso 1. *Observar minuciosamente con quién, cuándo, cómo y por qué el miedo al rechazo y al abandono se convierte en cólera.*

Existe una similitud muy definida entre la cólera de vergüenza y la cólera de abandono. En ambas situaciones, la única emoción visible es la furia extrema, pero en el fondo subyace la misma emoción. Con la cólera de vergüenza, el sentimiento es de vergüenza. La cólera de abandono se basa en una profunda sensación de miedo, el miedo a ser abandonado. Hay que rastrear el camino seguido a partir de la escena del crimen (la explosión de furia) para descubrir cómo la cólera oculta otras emociones. En esta labor de detective, uno ha de contestar a cuatro preguntas.

- **¿Con quién se encoleriza?** Generalmente, la cólera de abandono se dirige a las personas que más se ama y necesitan en la vida. Aquellas personas de las que creemos que no podemos vivir sin ellas, o que la vida no valdría nada sin ellas. Así pues, los candidatos suelen ser la pareja, la ex pareja, los padres, los familiares, los hijos, los amigos más íntimos y los compañeros de trabajo más cercanos. Puede ser también que se dirija la rabia sólo contra los hombres o contra las mujeres. Puede encolerizarse principalmente con personas que le recuerden a su padre o a su madre. O quizás con gente joven, o con ancianos. Conviene examinar a fondo la pauta en que se basa el ataque de cólera para descubrir a quién hay que proteger especialmente. Es preciso recordar que el mejor indicador del siguiente ataque de cólera es el pasado, de modo que los objetivos más probables del próximo ataque serán los mismos contra quienes estuvo dirigida la furia en el pasado.

- **¿Cuándo se encoleriza?** Dicho de otro modo, ¿qué sucesos desencadenan esos ataques? Algunos de estos factores desencadenantes pueden venir de otras personas, como cuando la pareja dice que desea pasar unas horas a solas. Pero puede que la cólera se desencadene a partir de lo que llegue a pensar por sí mismo, como por ejemplo en la posibilidad de que la pareja quiera pasar algún tiempo sola. Seguramente, identificará unas pautas definitivas en este sentido. Por ejemplo, puede darse cuenta de que no soporta que su pareja diga cosas como ésta: «Tan sólo necesito estar unas horas a solas», o no soporta pensar que nadie quiera estar con él. Con el tiempo, lo que hay que hacer es encontrar medios para neutralizar esas palabras o pensamientos tan turbadores. Pero de momento hay que seguir con la labor de detective.

- **¿Cómo se encoleriza?** ¿Qué dice? ¿Qué hace? ¿Qué cara pone? ¿Qué voz pone? ¿Insulta? ¿Empuja, arremete, golpea o se echa al cuello de la gente? Los ataques de furia son tan terribles que puede que no sea consciente de lo que dice o lo que hace cuando los sufre; entonces debe preguntar a los demás. Si actúa violentamente, no hay que ponerse a la defensiva («¡No puede ser, yo no hago eso! ¡Yo nunca haría algo así!»). En vez de ello, hay que escuchar con atención lo que cuentan los demás.

- **¿Por qué se encoleriza?** Ésta es la pregunta más importante y también la más difícil de contestar. La clave está en volver al momento en que se inició el ataque y preguntarse: «¿Qué pasó en aquel preciso instante que me hizo sentir abandonado o traicionado?». Se puede utilizar el siguiente esquema:

*Cuando me dijo*_____

me sentí _____ *(abandonado, traicionado…)*

*porque*_____

*O cuando pensé que*_____

me sentí _____ *(abandonado, traicionado…)*

*porque*_____

He aquí dos ejemplos:

- *Cuando Suzy me comentó que un compañero de trabajo le había dicho que la encontraba atractiva, me sentí amenazado y tuve miedo de que ella quisiera liarse con él.*

- *Cuando pensé lo fabulosa que estaba Suzy con el nuevo peinado, empecé a sentirme desvalido y vulnerable porque me convencí de que había cambiado de peinado para atraer a otros hombres.*

¿Tienen algún sentido esos pensamientos que desencadenan la cólera? Claro que no. En este caso, el colérico convierte un suceso ordinario en una amenaza para sus relaciones personales. Y es probable que sea exactamente eso lo que consiga con su ataque de cólera.

Paso 2. *Comprometerse a dejar de encolerizarse, por muy celoso, vacío, solo, herido o inseguro que se sienta.*

Los celos irracionales son un gran problema en las personas que se sienten inseguras. Se sorprenden a ellas mismas hurgando en los bolsos o en las carteras de sus parejas en busca de indicios de alguna infidelidad. Formulan acusaciones ridículas. Constantemente exigen a sus parejas que les den muestras de que las aman a ellas y solamente a ellas. Por mucho que les confirmen su amor, esas personas se encuentran tan vacías y desesperadas que nunca se sienten a salvo. Se preocupan y se inquietan porque en lo más profundo de su ser se sienten incapaces de conservar las relaciones. Están convencidas de que tarde o temprano sus parejas se lo pensarán y las abandonarán por una persona mejor. Esta gran inseguridad puede provocar dudas y celos, después acusaciones estúpidas y finalmente un ataque de cólera de abandono. Uno sabe muy bien, si tiene problemas con los celos, que está continuamente tentado de seguir al otro, de escuchar sus conversaciones, de hacerle preguntas y acusarle. No hay que hacerlo. Hay que contenerse.

En cualquier proceso de sanación hay momentos de sinceridad. Algunas personas lo llaman «examen de conciencia». Será necesario reunir todo el coraje, entrega y convicción de que uno es capaz para enfrentarse a esa prueba. Cuando intente abandonar la cólera, tendrá que afrontarla muy a menudo. Eso sucede porque en las relaciones sentimentales nos encontramos continuamente con situaciones en las que la persona a la que amamos y necesitamos nos deja al menos por un breve período de tiempo. Aunque tan sólo vaya a buscar el periódico o un paquete de cigarrillos, puede sufrir un ataque de cólera por ser un día en que se sienta especialmente inseguro. Se puede caer en la tentación de iniciar una discusión sólo para impedir que la pareja cruce la puerta de la casa.

Aun así, por muy mal que se sienta, la alternativa es clara: o bien seguir gritando, chillando, lloriqueando o fastidiando al otro hasta que éste realmente se vaya, o bien comprometerse a dejar de enfurecerse aunque esté inseguro. Así, puesto sobre el papel, parece una opción sencilla. ¿Quién no optaría por dejar la cólera cuando si se opta por ella se acaba perdiéndolo todo? Pero cuando se sufre la cólera de abandono, es muy grande la tentación de seguir explotando de ira. Inevitablemente, el otro dirá alguna vez algo que provoque los temores a ser abandonado; tarde o temprano, se acabará pensando en cosas que desencadenen dudas con respecto al amor y la fidelidad de la pareja. Todo eso ocurrirá, pero cuando suceda, no puede dejarse llevar por el miedo. Tiene que recordar qué es lo verdaderamente importante en su vida. Tiene que mantener el compromiso de no explotar de rabia.

Si se es una persona celosa, ese compromiso es muy importante. No debe admitir ninguna excusa para acusar o atacar al otro. No debe dejarse arrastrar por los celos, pues si lo hace, esos celos acabarán por arruinar su vida.

Paso 3. *Adoptar como objetivo principal la sustitución de la desconfianza que desencadena la cólera de abandono por la voluntad de confiar en el otro.*

Como terapeuta siempre me ha parecido muy útil el principio de sustitución. La idea es muy sencilla: siempre que se desea dejar una cosa hay que buscar algo que la sustituya. Por ejemplo, uno no puede decirse simplemente que «debería ver menos la televisión». Eso no funcionará a menos que añada «... y ponerme a leer un libro», o hacer otra cosa interesante. Si no hay una sustitución, si se intenta dejar una cosa sin encontrar algo que la reemplace, se crea un vacío, un espacio en blanco en la vida. Ese vacío se volverá a llenar de nuevo con aquello que se quiere dejar de hacer. El principio de sustitución se aplica tanto a los pensamientos como a los actos. No se puede dejar de pensar de una manera si no se encuentra antes un nuevo enfoque.

La desconfianza es el combustible de la cólera del abandono. «Me va a engañar.» «Me va a dejar.» «Me van a fallar.» «No puedo confiar en nadie.» Hay que sustituir esos pensamientos porque son los que lo llevan a la cólera del abandono. La cuestión es con qué reemplazarlos. Creo que la respuesta está en la buena disposición a tener confianza. No es nada fácil, en absoluto: nuestro cerebro está entrenado para recelar y desconfiar. Intentar tener confianza será como subir una montaña escarpada durante un tiempo. Sin embargo, pensar de manera más confiada se va haciendo cada vez más fácil a medida que se practica. Finalmente, llegará a la cima de esa montaña y empezará a descender.

¿Qué le parecen estos pensamientos?

- «Hoy he decidido confiar en _____ [indicar el nombre].»
- «Desde ahora en adelante voy a confiar en _____ [indicar el nombre].»
- «Le (o les) concederé el beneficio de la duda.»
- «Quiero ser más confiado. Puedo ser más confiado. Seré más confiado.»
- «Ahora soy más confiado que antes, y seguiré siéndolo cada vez más.»
- «Ahora mi mundo es más seguro que antes. Tengo que aceptar ese hecho.»
- «Ella (o él) me quiere y quiere quedarse conmigo.»

Mi consejo es que se elijan unos cuantos de estos pensamientos a fin de repetirlos a menudo interiormente. Hay que escoger los que hacen que se sienta bien y añadir otros de cosecha propia. No tienen que ser pensamientos que se repitan y luego diga: «¡Bah, vaya sarta de sandeces!». Tienen que decirse en voz alta y hacer que al decirlos respire de alivio. Ayudarán a que se sienta seguro en un mundo seguro. Y sobre todo esas ideas le ayudarán a evitar los ataques de cólera de abandono.

Paso 4. *Para aprender a confiar más en el presente conviene centrarse en las personas en las que ha confiado en el pasado.*

Si le preguntaran en quién ha podido confiar en el pasado, es posible que diga que en un amigo, en su profesor de primaria, en un antiguo amor, en uno de sus progenitores o padrastros, en un hermano o hermana, en un asistente social, en los chavales de su pandilla, en una abuela o en un tío... Sin duda, a lo largo de nuestra vida ha habido personas en las que hemos confiado. Si no muchas, al menos una o dos nos han demostrado que podíamos confiar en ellas. Pero si se contesta que «en nadie», yo no aceptaría esa respuesta. Probablemente, sería un mito que uno se ha creado para reafirmar su necesidad de encolerizarse. Todo el mundo ha encontrado en su vida a alguien en quien confiar, aunque haya sido por poco tiempo.

Ahora pensemos un poco en esas personas que se ganaron nuestra confianza. ¿Cómo lo hicieron? ¿Cumplieron sus promesas? ¿Se quedaron con nosotros incluso cuando intentamos echarles? ¿Creyeron en nosotros aunque nosotros no creíamos en ellas? Eran personas dignas de confianza. Se ganaron esa confianza no sólo por estar ahí una vez, sino por estar ahí muchas veces. Se puede contar con ellas, quizás no siempre que las necesite (son seres humanos), pero sí la mayoría de las veces.

Entonces, ¿cómo es posible que el mero hecho de que algunas personas se ganaran nuestra confianza durante un tiempo nos pueda salvar del dolor de que otras personas importantes resultaran no ser dignas de confianza demasiado a menudo? Veamos. En primer lugar, demuestra que tuvo un poco de buena suerte e hizo gala de buen juicio en el pasado. Encontró a personas en quien pudiera confiar, por lo que será capaz de volver a hacerlo. En segundo lugar, esas personas le han ayudado a no perder toda la fe en la humanidad, le han ayudado a creer que puede ser amado, protegido y aceptado. Y sobre todo, en tercer lugar, le han mostrado qué hay que buscar ahora y en el futuro. Uno puede distinguir entre personas que hacen falsas promesas y personas que mantienen su palabra.

La confianza es la clave de la prevención de los ataques de cólera. Pero no la confianza ciega, no la confianza ingenua. La confianza que se necesita se basa en la fe de que se puede encontrar a personas que realmente quieran ser leales y sinceras y vincularse con ellas. Serán personas que se parecerán mucho a aquellas en las que ha confiado en el pasado.

Paso 5. *Sustituir los celos, las sospechas, las palabras y las demostraciones de recelo por la confianza.*

La confianza es algo más que una actitud, es también un conjunto de palabras que decimos y de cosas que hacemos. Por ello, si experimenta ataques de cólera de abandono, tendrá que cambiar casi con toda seguridad tanto sus palabras como su comportamiento.

Antes de continuar, debemos definir qué es la confianza. Los sinónimos de la palabra «confianza» son certeza, creencia, fe, seguridad, fiabilidad, apoyo, esperanza y convicción. Confiar en alguien significa, pues, tener la certeza de que esa persona está por completo de nuestro lado. Creer eso hace que nos sintamos más seguros en una relación que cuando se está lleno de dudas. Se puede confiar en el amor de la pareja y en su lealtad.

Si se desea abandonar la cólera, es crucial aprender a hablar y a actuar desde la confianza. Veamos cómo la desconfianza de Bettina se refleja en lo que dice y en lo que hace.

Éstas son algunas de las palabras recelosas de Bettina: «¿Dónde has estado? ¿Con quién has hablado? ¿De qué habéis hablado? ¿Te gusta ella? ¿Cuánto? ¿Te gusta más que yo?». Pronostica en voz alta que Mason la dejará, como hicieron sus antiguas parejas. Le dice que ella le necesita mucho, que sabe que Mason se cansará de complacerla. Además, le pregunta a Mason una y otra vez si la quiere de verdad, pero cuando él le contesta que sí, le dice que no le cree. Después vienen los comportamientos recelosos: sigue a Mason para asegurarse de que no va a encontrarse con nadie, le dice a otra mujer que no le ponga las manos encima, intenta adivinar constantemente qué es lo que está pensando y le echa en cara que piense en dejarla, y pretende que se quede en casa cada noche para que no vaya a ningún sitio sin ella.

¿Qué sucede con todos esos recelos de pensamiento y de obra? Como dice la propia Bettina: «Con mis acusaciones, mis sospechas y mis celos, alejo a mi pareja». Pero aún hay más. También se convence a ella misma de que no se puede confiar en la gente. Así que Bettina está metida en un terrible círculo vicioso: desconfía, y dice y hace cosas que alejan a la gente, lo que hace que su desconfianza aumente.

Pero, ¿cómo empezar a confiar? Primero: hay que prometerse confiar en los demás, especialmente en la pareja. Hay que recordar que el hábito de la desconfianza que uno ha desarrollado es insano e innecesario en este momento de la vida. Segundo: hay que dar al otro el beneficio de la duda o un voto de confianza. Eso implica dejar de formular acusaciones, de plantear preguntas interminables o de exigir pruebas del amor del otro. Esas preguntas sólo incrementan la inseguridad, sea cual sea la respuesta, de modo que hay que dejar de hacerlas. Tercero: hay que examinarse para interceptar los propios temores y dudas antes de que se adueñen de nuestra mente. Lo mejor es decirse uno mismo: «Ah, me estoy volviendo paranoico otra vez. Lo mejor es dejar de pensar en eso ahora mismo». Cuarto: hay que utilizar un léxico de la confianza, con frases como: «Confío en ti» y «Puedo contar contigo». No debemos decir: «Confío en ti, pero…», pues eso significa obviamente que no se confía en el otro. Quinto: Hay que actuar con confianza. Para hacerlo, simplemente debemos preguntarnos: «¿Qué haría una persona confiada en mi lugar?» Después se actúa de ese modo, aunque no parezca natural.

Paso 6. *Aprender a aceptar las palabras de confirmación cuando necesitamos que nos digan que nos aman y nos desean.*

La inseguridad obsesiona a las personas propensas a la cólera de abandono. Éstas se preguntan continuamente a sí mismas y a sus parejas si realmente les quieren. Por desgracia, sus oídos sólo escuchan lo que están preparados para oír: «Pues, no, en realidad no puedes confiar en mí. Supongo que te dejaré dentro de unos meses, pero antes te estafaré y te robaré todo tu dinero». Pocas veces prestan oído a respuestas de confirmación como ésta: «Te quiero más que a nada ni nadie. Quiero estar contigo el resto de mi vida. Te juro que es verdad». Y si les prestan oído, se encuentran con una voz interior que les dice: «¡Claro! Eso es lo que tú dices. Eso es lo que dicen todos. No te creo.» Las personas proclives a la cólera de abandono no pueden creer que alguien las vaya a querer por mucho tiempo. El miedo al abandono es como una niebla persistente que tapa la luz del sol a lo largo de la mañana, pero se trata de una niebla mental. Esa niebla de la cólera no está formada por gotas de agua, sino por pequeñas partículas de sospecha, menosprecio, miedo y rabia. Es una niebla que no deja pasar los rayos de sol del consuelo y del amor.

Pero ¿cómo disipar esa niebla? Hay que aprender a captar mejor las pruebas de amor y de confianza que los demás nos ofrecen. Esto exige un esfuerzo consciente. Por ejemplo, es bueno respirar profundamente cada vez que la pareja nos dice que nos quiere. Esas palabras tienen que quedarse en lo más profundo de nuestro cuerpo, hemos de depositarlas en el corazón, aferrarnos a ellas hasta que crucen la barrera entre la duda y el cerebro y nos lleguen al alma. Optemos por creer que nos aman, aprecian y aceptan. Dejemos que pase la luz del sol.

Está bien preguntar de vez en cuando si nos corresponden. «¿De verdad me quieres?» es una pregunta normal, sobre todo al principio de una relación, pero asegurémonos de que captamos la confirmación cuando nos la ofrecen, y no nos quedemos tiesos como una estaca cuando nos abrazan. Al contrario, hay que rodear al otro con los brazos y sentir su calor. Una vez solo, uno debe recordar que le aman. Debe guardar la imagen del otro mostrando su amor. Debe oír de nuevo sus palabras. Sentir su abrazo.

La niebla de la duda no se disuelve fácilmente. Puede disiparse un rato y después volver, pero no hay que desanimarse. Podemos sentirnos más seguros, mucho más seguros, aceptando las muestras de amor. Pasar de estar inseguro a estar seguro ayudará a evitar la cólera de abandono. ¿Por qué encolerizarse por sentirse abandonado si se puede sentir amparado y apreciado?

Paso 7. *Proponerse superar los sentimientos especialmente dolorosos del pasado de desamparo, abandono, rechazo o traición.*

Desamparo: «Mi madre se enganchó a la droga y dejó de cuidarnos».
Abandono: «Cuando mis padres se divorciaron, me sentí destrozado y mi padre se marchó de casa. Aún me cuesta aceptarlo».
Rechazo: «Mi madre me dijo que desearía que yo no hubiera nacido».
Traición: «Mis padres me prometieron que nunca me abandonarían. Me dejaron con mi abuela y se fueron».

Desamparo. Abandono. Rechazo. Traición. Éstos son cuatro tipos de agravios que generan inseguridad en una persona. Los agravios recientes como éstos son terriblemente dolorosos, pero las peores heridas son a menudo las más antiguas, las que se han sufrido en los primeros años de la vida. Esos agravios (incluso los ocurridos cuando se era demasiado joven para recordarlo conscientemente) conforman nuestras creencias sobre las relaciones personales, forman filtros de la experiencia que siguen activos en la actualidad. ¿Qué pasa a través de esos filtros? Cualquier indicio, por muy ligero que sea, de que nos van a desamparar, abandonar, rechazar y traicionar. ¿Qué no pasa por el filtro y queda retenido en él? Cualquier indicio, por muy potente que sea, de que una persona nos será leal y será afectuosa con nosotros. El resultado es un universo distorsionado que se inclina por la duda y la desconfianza. No se puede creer en nadie.

Imaginemos que vamos por la vida con un torrente inacabable de predicciones funestas que llevan a pensar cosas como éstas:

- «Dice que desea cuidarme (pero empezará a beber y a drogarse como hizo mi madre, y después acabaré yo cuidando de él).»

- «Me ha propuesto venirse a vivir conmigo (así podrá destrozarme cuando me deje, como hicieron mi padre y mi madre cuando se divorciaron).»

- «Dice que me acepta por completo (pero eso es una sandez, pues acabará deseando que yo no hubiera nacido, como hizo mi madre).»

- «Dice que nunca me abandonará (lo mismo que dijeron mis padres antes de dejarme con mi abuela).»

Se encoleriza para impedir que le abandonen, monta en cólera para protestar por el abandono pasado y futuro, cree que tarde o temprano todas las personas importantes de su vida le desampararán, abandonarán, rechazarán o traicionarán. Hay que dejar de pensar de esta manera para superar la rabia. Los seis pasos descritos anteriormente ayudarán a pensar con más confianza. Sin embargo, hay un paso más, que es importante: hay que enfrentarse a los demonios del pasado, los de los primeros agravios. Debemos dejar el pasado en el pasado de una vez por todas, para que el presente no se contamine.

Tenemos que realizar esa limpieza del alma por sus propios medios. He aquí unas cuantas medidas que ayudarán a librarse del pasado.

Pensemos que no estamos condenados a que el pasado se repita. Tenemos la habilidad para crear un nuevo mundo en el que estamos rodeados de gente amorosa, cariñosa y leal. Además, es necesario creer en un mundo bueno para expulsar la amargura interior que alimenta la rabia.

Recordemos cada día que la gente con la que estamos hoy no es la misma que la del pasado. Ésta es una labor fundamental. La esposa no es una versión más joven de la madre: es una persona completamente diferente. El novio no es un clon del padre, aunque ambos sea hayan quedado prematuramente calvos. Los niños no son una versión en miniatura de hermanos y hermanas, cada uno tiene su propia personalidad.

Llevemos un diario. Puede ser muy útil escribir en él sobre heridas del pasado concernientes al apego, permitirse sentir dolor y rabia, y después escribir cómo este hecho ocurrió tiempo atrás y cómo puede uno librarse de él. El diario puede ayudar a notar las diferencias entre las experiencias pasadas y actuales.

Pensemos en seguir una terapia con un experto que nos ayude a enfrentarnos a estos temas en un entorno de seguridad y apoyo.

Hablemos con las personas en las que ya confiamos acerca del deseo de ser más confiados. Hablarles de que se desea aprender a confiar más en quienes les rodean, y en especial en aquellos que se han mostrado dignos de confianza.

Perdonemos a aquellas personas que nos han desamparado, abandonado, rechazado o traicionado en el pasado. Esto nos ayudará a recordar los tiempos en que esas mismas personas eran amables, cariñosas y amorosas con nosotros. Por otra parte, eso mismo hará que nos demos cuenta de que nadie es totalmente bueno o totalmente malo. Y ese reconocimiento nos ayudará a aceptar a las personas más importantes de nuestra vida presente, de modo que si ocasionalmente nos fallan, no nos encolerizaremos con ellos.

Un apoyo religioso o espiritual nos puede ayudar a librarnos de todo aquello que no podemos controlar, incluido lo que ocurrió en el pasado. Eso nos ayudará a sustituir el sentimiento de amargura por otro más positivo de serenidad y gratitud.

La cólera de abandono mata. No dejemos que nos destruya a nosotros y a las personas que amamos.

9

Conclusión: una vida sin cólera

El éxito de Willy

Cuando Willy, de cuarenta años de edad, comenzó su terapia conmigo hace un par de años, lo primero que me dijo fue: «Penny, mi mujer se ha ido. Quiero que vuelva. ¿Puede ayudarme?». El lector podrá imaginarse por qué se fue Penny: Willy era un colérico que nunca había intentado refrenarse. Pero la decisión de su mujer fue para él una señal de alarma. Willy la quería realmente y estaba dispuesto a hacer cualquier cosa por recuperar su afecto, incluso esforzarse por prevenir sus arrebatos de cólera.

Ahora bien, estar muy motivado no es suficiente para dejar la cólera, por supuesto, aunque ayuda. De hecho, incluso antes de venir a verme, Willy dijo «no, gracias» varias veces cuando sentía ataques de furia. Pero también había dicho alguna vez, «vale, sí, creo que me voy a encolerizar, muchas gracias». La última vez que esto ocurrió fue cuando le preguntó a Penny si iba a volver pronto a casa. Ella no contestó de inmediato. Willy describe así lo que ocurrió:

«Intenté estar tranquilo. Me dije a mí mismo que debía tener paciencia, pero yo sólo quería una respuesta, y cuando no me contestó de inmediato, me perdí. Me sentí cambiar, pero no podía detenerme. No quería detenerme. Me salió la furia y le grité. La acusé de querer acostarse con cualquiera. La llamé de todo. Ni siquiera recuerdo lo que le dije. Al día siguiente me presentó los papeles del divorcio. Me dijo que ese últi-

159

mo ataque de cólera hizo que lo viera claro. Entonces decidí que necesitaba ayuda.»

Dos años después, Willy y Penny se han reconciliado. Me reuní con ambos. Penny me dijo: «Willy no se ha vuelto a encolerizar. Aún se enfada, a veces por cosas estúpidas. Pero incluso entonces permanece bastante tranquilo. Ahora podemos hablar, y él me escucha realmente. A veces, si se excita demasiado, tiene que tomarse un respiro, pero después vuelve y analizamos las cosas juntos. Costó un poco, pero ahora casi siempre me siento tranquila con él».

Willy trabaja mucho para evitar la cólera. Ha aprendido a reconocer de antemano cuándo empieza a hervirle la sangre, aunque a veces, al principio, juraba que los ataques le venían de improviso. Toma antidepresivos, pues ha descubierto que tenía una depresión no tratada que le afectaba al temperamento y le hacía más propenso a la cólera. Realiza ejercicios de cambio mental para ayudarse a evitar pensamientos paranoides. Hace ejercicio físico y ha reducido la cafeína y ha abandonado por completo el alcohol, «porque necesito controlarme». También hace terapia sobre temas de tipo familiar que le ayudan a entender por qué trataba a Penny sin respeto. Willy es también bastante humilde: sabe que en el mismo momento en que piensa que nunca volverá a encolerizarse, puede sobrevenirle el siguiente ataque de cólera. Intenta aprender todo lo que puede sobre el control de la cólera y la prevención de los ataques de ira.

Sin embargo, cuando pregunto a Willy por el secreto de su éxito, vuelve sobre las cuestiones de la motivación y la confianza en sí mismo: «Me dije que podía dejar de tener ataques de cólera. Me obligué a dejar de encolerizarme. Finalmente decidí que merecía tener una vida decente».

Resumen del concepto de cólera

En este libro hemos abarcado un campo muy vasto, por ello vamos a hacer una recapitulación de las principales ideas.

La cólera es la experiencia de un exceso de rabia

La cólera es un suceso desencadenado por un exceso de rabia que no se puede controlar normalmente. En el fondo representa una alternativa de emergencia al modo habitual de enfrentarse a la rabia. Cuando hablar con la persona con la que se está enojado no lleva a ninguna parte, cuando «tragarse» la rabia no funciona, cuando tomarse un tiempo no sirve de nada, cuando pensar en el problema sólo hace que empeorarlo, cuando nadie lo entiende, cuando es imposible relajarse, cuando fallan todas las propuestas racionales, entonces es cuando sobreviene la cólera.

La cólera es una experiencia transformadora

Durante un episodio de cólera, algo cambia por dentro. La medida de esta transformación es una o más de estas tres posibilidades: pierde la conciencia de lo que dice y hace; se siente una persona diferente, experimenta una especie de cambio de personalidad temporal entre el Dr. Jeckyll y Mr. Hyde; pierde el control del comportamiento y dice y hace cosas que normalmente querría y podría controlar.

Por cada ataque total de cólera seguramente se tienen varios ataques parciales

No todos los ataques son totales; muchos son miniataques, en los que uno pierde parte del control. Es necesario aprender lo más posible sobre esos ataques parciales a fin de maximizar el control sobre ellos.

Se pueden experimentar episodios cercanos a la cólera

Son momentos en los que se está al borde del abismo, pero de alguna manera uno se detiene. También en este caso es necesario estudiar lo que ocurre. De este modo, tal vez se descubran pequeñas pero importantes diferencias entre estar cerca de tener un ataque de cólera o encolerizarse realmente.

No todos los ataques de cólera son iguales

Hay una gran división entre los ataques de cólera repentina y los ataques de cólera retenida. Mientras la cólera repentina es muy rápida y surge casi sin avisar, la cólera retenida se forja durante días, semanas, meses y años. Si la rabia súbita es como un tornado, la rabia retenida es como un fuego interno que quema todo lo que encuentra a su paso.

Otro modo de diferenciar la cólera pasa por la amenaza que genera

La cólera de supervivencia surge contra una agresión física con peligro de muerte. La cólera de impotencia se enfrenta al sentimiento profundo de incapacidad de controlar aspectos de la vida. La cólera de vergüenza intenta aniquilar a quien de modo intencionado o involuntario nos ha avergonzado. La rabia cólera abandono es una protesta incontrolada frente a la amenaza de que alguien nos abandone.

No es el único que tiene este problema

Es posible que hasta el 20 por 100 de la población haya tenido episodios ocasionales de cólera. Muchos de esos episodios son ataques parciales. Sin embargo, la cólera siempre es peligrosa y puede ser funesta.

Los ataques de cólera pueden prevenirse

El secreto está en la prevención, es la clave para llevar una vida mejor. A menudo, se puede detener la cólera antes de que se desarrolle si se toma un respiro o se utilizan las técnicas habituales de control. Quizás también convenga tomar un tipo de medicación que ayude a evitar un colapso mental.

Cada tipo de cólera necesita tratarse de un modo diferente

Los seis capítulos de este libro detallan diferentes tipos de cólera, que tienen sus propios tratamientos. Hay que estudiar estos planteamientos muy cuidadosamente. Cada uno puede idear sus propios métodos para controlar los ataques, conviene recordar que no hay que hacerlo solo: es necesario pedir ayuda a familiares, amigos, consejeros profesionales y médicos, consejeros espirituales y otros en esta gran causa de acabar con la cólera.

Resumiendo: se puede acabar con la cólera, usted puede dejar de tener ataques de ira, se puede vivir mejor.

Bibliografía

AMEN, D.G., *Firestorms in the Brain* (Tormentas en el cerebro), Mindworks Press, 1988.

Bowlby, J., *El apego y la pérdida*, Ed. Paidós Ibérica, Barcelona, 1969.

— *La separación afectiva*, Ed. Paidós, Buenos Aires, 1976.

— *La pérdida afectiva, tristeza y depresión*, Ed. Paidós, Barcelona, 1988.

FEENY, J., NOLLER, P. y HANRAHAN, M., Assessing adult attachment (Evaluación del apego en adultos). En *Attachment in Adults* (El apego en los adultos), editado por M. Sperling y W. Berman, Guilford Press, Nueva York, 1994.

FREEDMAN, S., «A voice of forgiveness. One incest survivor's experience of forgiving her father» (Una voz del perdón. La experiencia de una superviviente de incesto que perdonó a su padre) en *Journal of Family Psychoterapy*, 10 (4) pp. 37-60, 1999.

GREEN, R., *The Explosive Child* (El niño colérico), HarperCollins, Nueva York, 1998.

KAREN, R., *The Forgiving Self* (El yo que perdona), Doubleday, Nueva York, 2001.

Kaufman, G., *Psicología de la vergüenza*, Ed. Herder, Barcelona, 1996.

LEDOUX, J., *El cerebro emocional*, Ed. Ariel-Planeta, Barcelona, 1999.

— *Synaptic Self* (El yo sináptico), Viking, Nueva York, 2002.

NEIHOFF, D., *The Biology of Violence* (La biología de la violencia), Free Press, Nueva York, 1998.

NEWMAN, K., *Rampage: The Social Roots of School Shootings* (Destrucción: las raíces sociales de las masacres en las escuelas), Basic Books, Nueva York, 2004.

PAPALOS, D., y PAPALOS, J., *The Bipolar Child* (El niño bipolar), Random House, Nueva York, 1999.

POTTER-EFRON, R., *Como controlar el mal genio*. Ediciones Obelisco, Barcelona, 2001.

RATEY, J.; Johnson, C., *Shadow Syndromes* (Síndromes de sombra), Bantam Books, Nueva York, 1998.

Slevin, P., «Suicide note is confession to slayings» (Una nota del suicida es una confesión de asesinato), *New York Times,* 11 de marzo, 11A, 2005.

Índice